国家对外汉语教学领导小组办公室规划教材项目

中级汉语阅读教程

(II)

周小兵　张世涛 主编
周小兵　徐霄鹰 编著

北京大学出版社
北　京

图书在版编目(CIP)数据

中级汉语阅读教程(Ⅱ)/周小兵,张世涛主编;周小兵,徐霄鹰编著.—北京:北京大学出版社,1999.1

ISBN 7-301-04014-8

Ⅰ.中… Ⅱ.①周… ②张… ③周… ④徐… Ⅲ.汉语-对外汉语教学-教材 Ⅳ.H195.4

中国版本图书馆 CIP 数据核字(98)第 39725 号

书　　名:中级汉语阅读教程(Ⅱ)

著作责任者:周小兵　张世涛　主编

责 任 编 辑:吕幼筠

标 准 书 号:ISBN 7-301-04014-8/H·0437

出　版　者:北京大学出版社

地　　址:北京市海淀区中关村北京大学校内　100871

网　　址:http://cbs.pku.edu.cn/cbs.htm

电　　话:邮购部 62752015　发行部 62750672　编辑部 62752028

电 子 信 箱:zpup@pup.pku.edu.cn

排　印　者:北京大学印刷厂

发　行　者:北京大学出版社

经　销　者:新华书店

787×1092 毫米　16 开本　16.25 印张　420 千字

1999 年 1 月第 1 版　2004 年 9 月第 4 次印刷

定　　价:40.00 元

目　录

编写说明

一、教学目的与教学对象

阅读是现代社会人们获取知识的基本途径，而在第二语言的学习中，阅读训练是全面提高目的语交际技能的重要手段。

本教材的教学对象是把汉语作为第二语言来学习的外国学生或中国少数民族学生。准确地说，是在全日制学校学过一年(大约800个学时)汉语的学生，基本学过《汉语水平词汇等级大纲》的甲、乙级词，汉语水平考试达到三级。

教学目的是通过学习和训练，切实提高学生的阅读技能和水平。跟一般的中级汉语教材或精读教材不同，本教材并不特别注重语言知识的学习，而是注重言语交际技能的掌握；在言语交际技能中，不是面面俱到，而是把侧重点放在阅读技能的掌握上。作为学习本教材的结果，应该是阅读技能的掌握和相应的阅读水平的提高。所谓阅读水平的提高，具体来说，就是阅读速度的加快，阅读理解率的提高。比如说，同样长度难度的文章，以前要读10分钟，只能理解一半；学过本教材之后，阅读只要5分钟，理解率达到90%。

二、教材特点

本教材的特点是：

1. 以提高阅读技能为纲，兼及阅读类别，编排课文内容。阅读技能包括：猜词、句子理解、段落理解、全文大意概括、抓标志词、预测、扩大视幅、组读，等等。阅读类别包括：眺读，浏览目录、题目，选定进一步阅读的内容；查读，在语料(如列车时刻表)中选取有用的信息(如某次列车的时间等)；略读，抓语料的中心和大概内容；通读，全篇阅读；评读，阅读时对内容进行分析、判断和评价。目的是提高学生的实际阅读能力和水平。

2. 以交际性、实用性为选材标准，注重语料题材和体裁多样化。注重当代性，语料及词语、句式、结构、文章风格等在当代交际生活中通用；注重可读性，使学生在学习中保持兴趣。语料既有一般性的文章，如通讯报道、故事、游记、幽默笑话、生活小品、科普文章、散文、论文等，又有实用性语料，如各类广告、时刻表、影视节目表、地图及旅游图、电话簿、指南等。目的是让学生接触并熟悉生活中可能遇到的各类语料，提高学生对这些语料，尤其是实用性语料的阅读能力。

3. 以《汉语水平词汇与汉字等级大纲》和汉语水平考试作为参照点，安排调整课文的难度，控制生词的出现与重现，设计练习的类型。生词以丙级词为主，并有少量丁级词和超纲词。拼音轻声不标声调，“一”和“不”标原调。练习着重测试学生的阅读水平，具体来说，就是测试学生掌握各种阅读技能的情况、阅读的速度及阅读理解率。相应地，通过本教材的学习，能大大提高汉语水平考试阅读理解部分的应试能力。

三、教材内容和教学方式

本教材一共60课，分别介绍通读、眺读、查读、略读、评读等阅读方式，猜词、句子理解、段落理解、全文大意概括、抓标志词、预测、扩大视幅、组读等阅读技能，最后还专门介绍说明文、议论文、新闻、散文等文体的阅读技巧。

每课包括两大部分：技能和阅读训练。其中技能部分包括技能讲解、技能练习两部分，即教学时先给学生讲解有关的阅读技能，然后针对这一技能做相应的技能练习；阅读训练则主要是真实的语料，要求进行跟实际交际基本相同的阅读训练。

在进行阅读训练时，生词最好等做完练习后再学，以便在阅读时进行猜词技能的训练。练习要按照要求进行，分三种类型：(1)阅前练习，即先看练习，根据练习提出的问题看课文，边看边回答练习中的问题；(2)阅后练习，即先阅读课文，后看练习，然后回答练习中的问题；(3)阅际练习，即边看课文边做练习。

教材分Ⅰ、Ⅱ两册，Ⅰ册的阅读语料相对短一些，难度低一些；Ⅱ册的语料相对长一些，难度高一些。为了在实际教学中容易操作，每一课的内容安排长度适中，要求在两个学时学完。

第三十一课

一、技　　能

抓主要观点之一：抓主词(主词组)

一般的文章/段落，总是先有了主要观点，然后再根据这个观点把各种材料合理地组织起来。所以，在阅读时，既快又准地把握文段的主要观点，将对提高阅读速度和理解率有很大的帮助。

在日常的阅读中，我们常常并不需要了解文段的所有细节，而只需要了解作者的主要观点；对于那些重要的需要认真研究的文段，首先掌握它们的主要观点，也是我们进一步深入阅读的前提。

有些文段的主要观点非常清楚，常常是被写在一两个主句中；而另外一些文段的主要观点则比较隐蔽。无论是面对哪一种文段，只要你的阅读目的是寻找主要观点，那么，最好强迫自己把阅读速度稍微提高一些(相对平常的阅读速度而言)，这样可以避免被个别句子或细节分散了注意力。

在有关阅读训练中，特别要留意的错误是把与主要观点有关的观点误认为是主要观点。因此，在阅读中，不但要练习速度，还要尽量集中注意力。

我们将掌握主要观点的阅读技巧训练分成四个部分：(一)抓主词或主词组；(二)抓主句；(三)归纳主要观点；(四)避免相关观点干扰。

每一个技巧练习都可以视为是一个略读练习。

要抓住文段的主要观点，很多时候要从抓主词开始。主词或主词组，是作者关注的重点：人物、地点、事物……如果有一段文字是讨论马的，那么，“马”就是这段文字的主词；如果一篇文章是介绍雪糕的起源的，那么，“雪糕”就是这篇文章的主词。所以，主词也可以说是文段的简要话题。我们先看看以下这个例子：

> 新型的人工心脏比过去以空气为动力的心脏模型体积更小、更静，也更安全。过去人工心脏移植过程中困扰人们的感染和血液凝结的风险也能降低许多。患者无需再将自己绑在“发电机”旁边。相反，他们可轻轻松松地在裤带上佩戴一个充电器，通过埋设在体内的线圈供应能量，充一小时电就足够让病人去冲个澡或游个泳。

这段话的主词是什么？显然，应该是“人工心脏”。在这短短的一百五十字中，阅读者可能会遇到不少生词，但这并不妨碍他们抓住其中的主词。这段文字介绍了新型人工心脏的一些优点，尽管人工心脏一词只出现了两次，但其他文字、细节都是围绕着人工心脏这个主词展开的。

所以，如果阅读者不能很快，或者准确地抓住文段的主词的话，就很可能无法确切地把握文段的主要观点。

练习

阅读以下短文，找出主词

1. 醋可以去腥去臭，将鱼放入滴有少许醋的清水中，能刺激鱼吐泥，消除淡水鱼特有的泥土味。在果汁罐头中加入一滴醋，可消除铁锈味。

主词：

2. 地球上能提供的淡水有九成以上来自地下水，而地球外围被海水包围。每天，有不少地下水融入海水之中，这种情况一直未被人关注。最近，有科学家指出，地下水流失问题已经十分严重了。

主词：

3. 德国新发明的未来高速磁性火车，前不久在彭帕堡附近的拉藤市策划及试验中心进行测试。这列高速磁性火车，预期2005年运行。汉堡至柏林全长二百九十公里的路程，只需约一小时即可到达。

主词：

4. 香港出了一种中国象棋游戏机，内置16K强大记忆和人工智能思考系统，有49级棋力可供选择，并具备教练指导功能，无论是下棋能手或初学的爱好者，都可愉快地使用这种游戏机。

主词：

5. 巴西被称为世界狂欢节之国。巴西的狂欢节一般于每年4月斋的前三天举行，但是性格开朗的巴西人往往早在节日前几天就跑到街头、海滩高歌狂欢。狂欢时，巴西人跳着节奏明快、热情活泼的桑巴舞，跳舞的人成千上万，他们身穿华丽的服装，场面非常壮观。狂欢节的里约又是全巴西最热闹的地方，它吸引了全世界的游客前往那里参加狂欢。里约把三百多条街道列为专门的桑巴舞场，街道两旁搭建了看台，有六万多个坐位，以一个坐位票价一百美元计算，桑巴舞场每年为里约带来六百多万元的门票收入。

主词：

6. 人体与微生物(包括细菌)是无法分开的。人类的胎儿在母亲体内时，完全没有接触到微生物。可是当胎儿离开母体，与医生或者护士接触，就开始学习适应我们这个"肮脏"的世界了。微生物无处不在，在空气中，在手上，在母亲的胸前和塑料奶瓶里。婴儿出生几个月内，就被一连串的微生物侵扰。科学家说，至少有四百种微生物开始在婴儿的肠内安家落户，更多的微生物迁至口腔、皮肤和身体的其他地方。可以说，人体是自然界中微生物最集中的地方。

主词：

二、阅读训练

食谱目录

回答问题

1. 如果你要学做炒牛肉，应该翻阅____页。
2. 如果你要学做炸茄子，应该翻阅____页。
3. 如果你要学做花生糖，应该翻阅____页。
4. 如果你要学做一个法国菜，应该翻阅____页。
5. 如果你要学做清蒸鱼，应该翻阅____页。
6. 如果你要学做果汁汽水，应该翻阅____页。

生　词

烹调　pēngtiáo　（动）　cook　做菜。
冷盘　lěngpán　（名）　cold dish　放在盘子里的凉着的菜。

雪糕的历史

一、回答问题

1. 意大利人用人工方法制作冰糕是在：
2. 横滨市首次出售日本制的雪糕是在：
3. “ice cream”一词出现于：
4. 手摇雪糕机发明于：
5. 耶可伯·福赛尔牛奶店大量生产雪糕是在：

喜欢吃雪糕的人，如果去意大利罗马旅游，不妨到西班牙阶梯广场去一趟，并在那儿手拿雪糕，拍照留念，因为意大利是冰糕的“故乡”，而现在的雪糕则是从冰糕发展来的。

公元 7 世纪之前，希腊、罗马、埃及、印度等都有用天然冰雪冰冻饮料的记录，而中东地区则也用果汁加天然冰雪冰冻饮料，成为冰糕或冰果汁。16 世纪，意大利人开始用硝石、水和冰的人工方法将饮料凝结成冰糕。17世纪,冰糕的制作方法传入法国。法国人又发明了蛋白加柠檬水搅起泡沫,然后再冻结的技术,使冰糕变成类似今日雪糕的软糕状;跟今天的雪糕一样,那时的法国人以奶油和鸡蛋作为冰糕的主要原料。

1700年,一个美国人的信中出现了"ice cream"一词。1864年,美国的家庭主妇发明了手摇雪糕机,从此雪糕成了家庭日用食品。1851年,美国的耶可伯·福赛尔牛奶店开始大量生产雪糕。19世纪,雪糕传到日本。1869年,横滨市首次出售了日本制的雪糕。而早在7世纪,阿拉伯制作冰糕的方法已由丝绸之路传入中国。

(根据《海外星云》1996年32期文章改写)

二、第二次阅读,然后按时间先后排序

1. 人工制作冰糕法传入法国
2. 阿拉伯制作冰糕的方法传入中国
3. 雪糕成为家庭日用食品
4. 意大利人发明人工制作的冰糕
5. 雪糕大量生产
6. 美国人的信中出现"ice cream"
7. 日本第一次出售国产雪糕

生　词

雪糕　xuěgāo　(名)　ice-cream　一种半固体的冷食。又叫冰激凌。
凝结　níngjié　(动)　coagulate or condense　由气体变成液体或由液体变成固体。
泡沫　pàomò　(名)　foam　聚在一起的许多小泡。

阅读3

白羊肚毛巾

中国西北黄土高原上的农民,喜欢在头上扎一条白羊肚毛巾。为什么叫白羊肚毛巾呢?因为毛巾白白的,毛茸茸的,就像羊肚子一样。人们说:"白羊肚毛巾是个好东西,农民一年四季都离不开它。"

春秋天气,不冷不热,把毛巾往脑门一扎,能遮挡尘土就行了。冬天，天气冷了，出门把毛巾往下一拉，就可以把耳朵包起来，这样就不会冻了耳朵。夏天，在太阳下干活，把毛巾往后脑勺轻轻一结，白毛巾正好挡住了晒人的阳光。天气闷热的时候，再扎毛巾就太热了，这时，要松开毛巾，让它平平地躺在头顶上，既遮太阳又透风。要是太阳照得人睁不开眼睛，只要把毛巾拧成股，往脑门一扎，就像是一个遮太阳的凉棚一样。

可是，现在的年轻农民已经不太喜欢扎这种传统的白羊肚毛巾了。

（根据丘桓兴《中国民俗采英录》改写）

说出以下天气条件下毛巾的扎法

1. 春秋天：
2. 冬天：
3. 凉快的夏天：
4. 闷热的夏天：
5. 太阳很厉害的日子：

生　词

毛茸茸　máorōngrōng　（形）　hairy　形容细毛丛生的样子。
脑门　nǎomén　（名）　forehead　前额。

后脑勺　hòunǎosháo　（名）　the back of the head　脑的后部。

拧成(一)股　nǐngchéng(yī) gǔ　twist……into a strand　两手握住物体两端分别向相反方向用力，使之变成像绳子一样的形状。

凉棚　liángpéng　（名）　mat-awning　夏天造的遮太阳的棚子。

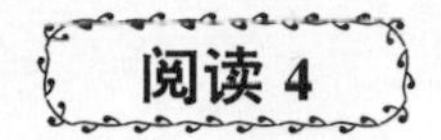

阅读 4

我祝福你

一次，我到一个博物馆参观。参观完了，我到那里的公共厕所方便。

在小便池的旁边，我看见一行小字："请抬头看看上面。"我忍不住抬头往上看，在墙的上方写着："你是王八蛋。"下面用小字写着："请再转头看看后面。"我忍不住再转头，后面的墙上用大字写着："你还是王八蛋。"下面又用小字写着："这一点是毫无疑问的。"

从公共厕所出来的时候，我觉得既生气又好笑，心想：这是哪一个无聊的人的杰作呢？这显然是一个聪明人在嘲笑别人，也仿佛是一个愚蠢的人在跟自己开玩笑。

其实，谁是王八蛋呢？

我们的时间那么珍贵，可以用来做有意义或者无意义的事，为什么不做一些有意义的事呢？

我们的生命那么短，可以用善意的祝福或恶意的嘲笑来面对世界，为什么不选择那善意的祝福呢？

想想看，如果把厕所里的字改成这样，是不是会好得多：

"请抬头看看上面。"

"我祝福你。"(请再转头看看后面)

"我还是祝福你。"(这一点是毫无疑问的)

注："王八蛋"，乌龟的蛋，骂人的话。

(根据林清玄《不动道人心(外一章)》改写)

选择正确答案

1. 这篇短文的主要观点是：

A. 向读者介绍一个有趣的公共厕所　　　B. 指责骂人的人

C. 我们应该用祝福而不是嘲笑面对世界　　D. 解释"王八蛋"的意思

2. 你认为作者的态度是：

A. 友善的　　B. 激烈的　　C. 冷漠的　　D. 愤怒的

3. 善意的同义词是：

A. 友善　　B. 恶意　　C. 有意义

生　词

嘲笑　cháoxiào　（动）　ridicule　用话语笑话对方。

完型填空

小偷"学校"

也许老人们说得对："现在（　　）从前好。"因为现在，（　　）怎样偷东西都可以学习了。

阿根廷的一位少年办了一所（"　　"），教授他的技术。而他的技术，就是偷窃的（　　）；最令人难以相信的是，有不少青少年到他的学校（　　）。

这所犯罪学校设在一个废弃了的仓库（　　）。最近警察关闭了这（　　）学校，并当场抓住了七名（　　）听课的少年。当时，十八岁的"教授"正在讲偷"理论"，而听课的学生个个（　　）带了刀子等工具。

其实，警察早就注意到，学校附近的偷窃活动比平常（　　）了不少，但他们怎么也想不到，其主要原因正是这所小偷学校。

第三十二课

一、技　能

抓主要观点之二:抓主句

文段的主要观点常常是以主句概括,也就是说,主句往往简明扼要地表达了作者的主要观点。很多文段都有主句,而其他的句子则围绕主句,提供有关信息和细节。因此,能够迅速地找到主句就等于掌握了文段的主要观点。

读者应该十分注意段落的第一个句子,因为这里是主句经常出现的位置,尤其是在说明文、论说文或科学论文中。有时,段落的第一个句子看起来不像是主句,这时,读者可以把注意力转向段落的最后一个句子,这里是仅次于首句的重要位置。当然,主句的位置绝不是固定不变的,作者愿意的话,他可以把主句放在段落的任何一个句子中。如果作者想强调他的观点,他还可能在段落中重复主句。

同样的道理,文章的第一段和最后一段是全篇中特别重要的部分。第一段经常指出全文的叙述方向和内容范围,而最后一段则常常是全文的总结和归纳。

练习

把以下段落中的主句划出来

1. 交际者的关系往往会反映在他们之间的距离上。例如,情侣之间的亲密交谈,距离大约是15英寸以内;朋友、亲戚的私人交谈,相距大约1.5～5英尺;一般的社会交际,距离大约4～8英尺。

2. 从性质来看,汉字是从象形文字发展而来的表意文字,字形和字义的关系比字音与字义的关系要密切一些。有一些汉字字形跟某些事物的外形相似,容易引起人们的联想,把字形跟文字所指直接联系起来。如“日”、“月”、“人”等。可以说,理解汉字的表意性质是提高阅读速度的有利条件。

3.《国风》中各国民歌都有独特的风格。如当时影响较大的《郑声》，季扎就认为它："美哉！其细已甚！"就是说："美啊！旋律细致婉转极了。"当时的《卫声》以"趋数"见长，就是说它的曲调节奏比较快。《齐音》以"敖辟"闻名，就是说它的旋律的跳动性较大。

4. 明清时期的音乐种类以所用的乐器来划分，可分为"吹打"、"弦索"、"丝竹"三类。"吹打"以管器和打击乐器为主要乐器，这类音乐有陕西鼓乐、山西八大套、河北吹歌、潮州锣鼓等。它们之间虽然各有鲜明的风格，但也有共同点，那就是火爆热烈，喧闹欢乐。弦索乐所用乐器都是琵琶、三弦、二胡、筝等弦乐器，风格轻柔典雅，配器较为细腻，在某些乐曲中，不但运用了变奏手法，还有意识地使用了对位的手法。丝竹乐流行于江南地区，所用乐器有"丝"有"竹"，风格明丽流畅，优美清新，深受当地人民的喜爱。

5. 目前，在电脑使用者中，得了"网络中毒症"的大约占 2%～3% 左右。不过，有趣的是，有人因为玩电脑玩出毛病，但也有人因为玩电脑而治好疾病。在日本，有一位忧郁症患者，医生建议他上电脑网络玩玩，结果，他上了网络后真的不再忧郁。

6. 中国家用电脑起步晚而发展快。从 1993 年开始，这个市场一直处于逐渐升温状态，拥有量以 200% 的速度增长。1995 年由上一年的 6 万台左右上升到 10 万台左右，IBM、联想 1+1、长城、AST 等品牌以优异的性能和合理的价格被一般家庭电脑用户所接受。

7. 达斯汀·霍夫曼身高虽不足 170 厘米，而他却是影迷心中永远的"小巨人"。还有被誉为"银幕永远的情人"的罗伯特·瑞福，由于其银幕魅力十足，令老、中、青三代的女性影迷都相信"因为他爱过我，所以虽然他的身高不足 180 厘米也没有关系"。所以说，演员的身材不够高大并不一定会失去影迷，如何在银幕上拥有魅力，才是真正的课题。

8. 根据国际旅游组织统计的数字，1995 年中国接待国际游客

2336.8万人次，占全球份额的4.12%，排名由1990年的第12位上升到第5位；1995年中国国际旅游收入为82.5亿美元，占全球份额的2.22%，排名由1990年的第25位上升到第9位。这表明中国旅游业在国际上的地位大大提高了。

二、阅读训练

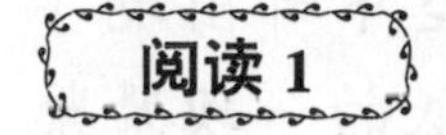
阅读1

奇特的理发店

回答问题

1. 会唱歌的理发师可能在哪个埋发店里工作？
2. 喜欢安静的人可以到哪个理发店理发？
3. 在哪个国家能找到开在游泳池里的理发店？
4. 电脑理发店中的电脑里有几种发型？
5. “别具一格”在第几段出现？在第三段中找出它的近义词。

水中的理发店：美国的佛罗里达州，有一家别具一格的水中理发店。这家理发店设在游泳池里，顾客如果需要理发，可与理发师一起带上潜水用具，潜入水下，进行水中理发。

分部理发店：法国巴黎有一家理发店分为两个部门，一个部门专门接待不喜欢说话的人，另一个部门则接待喜欢跟人聊天的客人。这家理发店开张以来，受到许多人的欢迎。

电脑理发店：巴黎还有另一家与众不同的理发店，店里有一部特别的电脑，内存四十多种不同的发型。顾客进店后，理发师很快为他拍一张头型照片，15秒后，顾客就可以从电脑上看到电脑为他“搭配”的发型，如顾客同意电脑的意见，理发师就按照电脑的指示为他理发。

音乐理发店：美国费城的音乐理发店中挂满了作曲家的肖像，准备了许多音乐录音带给顾客听，理发师还能一边理发一边唱歌给顾客听。

（根据《海外星云》1997年3期文章改写）

阅读 2

失踪的部队

据说，全世界每年都有几百万人失踪，而其中最神秘的是超自然的失踪，这是一种令人感到好奇和害怕的失踪。

“这起神奇的事件发生在苏沃拉海湾 60 号地区。在一次战斗进行最激烈的关键时刻，太阳出来了，天空万里无云。但是，天空中却出现了 6～8 块圆形大面包状的云，位于 60 号地区上空。其中最低的一块紧紧贴在地面上，云团大概有 800 英尺长、200 英尺高、200 英尺宽。

“一个团的英国军人毫不犹豫地走进云中。结果他们再也没有走出来。约一小时以后，当这个团的最后一名军人走进去后，这块云静静地离开地面。它慢慢地向上升起，最后与其他几块看起来跟它差不多的云连接在一起，并开始向北移动。”

提供这份报告的是当时的目击者：十九名工兵和三个排的士兵。他们的报告刊登在 *Spaceview* 杂志上，它叙述了发生在 1915 年 8 月 29 日的一次战斗中的情况，那是第一次世界大战中英国和土耳其之间的一次战斗。

第一次世界大战结束后，英国要求土耳其释放他们抓走的士兵。但是土耳其人不承认曾经抓过那些士兵。因此，直到今天，全团士兵在英国皇家军事记录上仍然被列为失踪。

最大的一次集体失踪事件发生在 1711 年的西班牙，四千名西班牙士兵在派连尼山上过夜，等候第二天清晨与其他的部队会合。第二天清晨，当他们等候的部队到达山上时，却发现四千名士兵全都不见了。山上十分平静，营火在燃烧着，军马和火炮都在原地，完全不像是有过战斗的样子，而晚上也没有人命令那四千名士兵转移到别的地方去。于是，军方派人在山区寻找了几个月，可是一无所获。这起失踪事件被记录在西班牙的军事文献里。

（根据《读者精华》文章改写）

选择正确答案

1."失踪"的近义词是:

A. 失败　B. 失足　C. 跟踪　D. 消失

2."天空万里无云"是说:

A. 天气晴朗　B. 天气干燥　C. 天上没有风　D. 天空很大

3."目击者"是:

A. 用眼睛打人的人　B. 有眼睛的人　C. 看见事件的人　D. 视力很好的人

4. 英国士兵失踪的时候,他们正在:

A. 休息　B. 打仗　C. 行军　D. 训练

5. 西班牙士兵在哪里失踪?

A. 海湾　B. 山上　C. 云里　D.60 号地区

6. 失踪的西班牙士兵可能有多少人?

A. 四千人　B. 十九人　C. 五千人　D. 两千人

7. 西班牙的士兵不可能是被敌人打败并带走了,为什么?

A. 因为他们的人数很多　B. 因为他们点的火还烧着,他们的马和炮都在原地

C. 因为山上十分平静,不像打过仗的样子　D.B 和 C

8. 本文的主句在:

A. 第一段　B. 第六段　C. 最后一段　D. 没有,需要归纳

生　词

超自然　chāozìrán　supernatural　自然界以外的,或科学、常识所不能解释的。

刊登　kāndēng　(动)　publish in a newspaper or magazine　新闻、文章等在报纸或杂志上刊载出来。

释放　shìfàng　(动)　release　把被关起来的人放出去,使他们自由。

一无所获　yīwúsuǒhuò　have gained nothing　什么也没有得到。

文献　wénxiàn　(名)　document　对研究历史有用的图书资料。

阅读 3

美丽的老师

在广东省信宜市茶山镇一个距离市区三十多公里的小山村塘坑,有位美丽的女教师。

十五年前，二十二岁的程秀在信宜市一家肥料工厂工作，因工厂发生火灾被严重烧伤。她经过几次大手术，在医院里住了差不多四年。出院后，人们发现，程秀本来美丽的容貌已被烧得面目全非，男朋友离开了她。后来，她还是结婚了，丈夫是一个比她大九岁的乡村理发师，他们住在一个偏远的山村里。

1986年春天，一个阳光明媚的早上，程秀翻出几年没摸过的心爱的口琴，走出了她半年没出过的家门，用伤残的手托住口琴，断断续续地吹出她熟悉的曲子《莫斯科郊外的晚上》。琴声吸引了在山野里玩着的孩子们，他们围过去，静静地听她吹口琴。程秀发现孩子们并不害怕她那张被烧得很丑的脸，心里觉得非常温暖。

她以前当过半年代课老师，想到这些孩子由于太小或太穷而不能上学，整天在田里和山上玩，就决定在家里办一个免费幼儿班。

程秀的丈夫看到那些孩子给妻子带来欢乐，也很高兴。他为妻子做了一块黑板，又到山上砍木头，做了几张桌椅。程秀的手指被烧掉了，没办法用粉笔在黑板上写字。于是，她去城市里的大医院做手术，把右手割开，分开五只残存的指根。当她第一次用粉笔在黑板上写下几个歪斜的字时，脸上露出了愉快的笑容。

由于程秀原来工作的工厂经营得不好，她去年只收到一个月的工资。丈夫每月只有四百元的收入，家里有老人有孩子，其生活状况可想而知。因为经济的困难，程秀几次想停办她的幼儿班，但都坚持住了。不知不觉十年过去了，她越来越希望能有多一点钱。她说有钱可以给孩子们买桌椅、买教学用具和图书，还可以在她门前的小河上建一座小桥，这样，她就不用在雨天为过河的孩子们担心了。

虽然这位教师有张被火烧得变了形的怪脸，但她是位非常美丽的教师，至少多年来那些接受她悉心教育的穷孩子们是这么想的。

（根据香港《读者文摘》改写）

一、判断正误

(　　)1. 小山村的名字叫信宜。
(　　)2. 程秀被火烧伤了。
(　　)3. 口琴是一种用口吹的乐器。
(　　)4. 一开始，山村的孩子们就喜欢程秀。
(　　)5. 程秀开办幼儿班不但能教育孩子们，还能增加收入。
(　　)6. 程秀原来的工厂经营得不错，每年都把全部的工资发给她。
(　　)7. 程秀家有好几口人。
(　　)8. 程秀的手指都被火烧掉了，所以说她的手是“伤残的”。

二、回答问题

1. 本文有主句吗？有的话，请划出来。
2. 请在第二段、第三段和最后一段找出作者形容程秀的脸的词或词组。
3. 为什么作者和那些孩子们认为程秀是一个美丽的老师？

生　词

容貌　róngmào　（名）　appearance　人的样子。
面目全非　miànmùquánfēi　（形）　be changed or distorted beyond recognition　人的样子或情况变得很厉害。
明媚　míngmèi　（形）　bright and beautiful　明亮而美丽。
免费　miǎnfèi　（动）　free of charge　不要钱。

阅读4

迟到的秘密

一般来说，如果一个聚会对某人十分重要的话，他绝对不敢有一点故意迟到的念头。恋爱中也是如此。如果两个人相亲相爱，双方都会尽量不在约会的时候迟到。如果女方约会时经常迟到，可以断定女方并不喜欢男方，要是她让男方时常在约会时苦苦地等待她"驾临"，那么最好尽快结束这段恋情。当然，女方有时也会隐藏自己真实的感情，为考验一下男方的心意和耐性而故意迟到几次。但如果是真的喜欢男方，她一定不忍心一次又一次地让男方苦苦等候。

（根据石川弘义《现代人的诡计》改写）

根据文章完成句子

1. 一个姑娘常常让她的男朋友等她，她肯定（　　）他。
2. 一个人出席重要的聚会，不会（　　）迟到。
3. 姑娘有时故意迟到，是为了（　　）男方。
4. 作者劝男人最好不要追求常常让他们（　　）的姑娘。
5. 地位高的、重要的人到来叫做：（　　）。
6. 一个等女朋友等了一个小时，还不着急或生气的人是一个有（　　）的人。

第三十三课

一、技　能

抓主要观点之三：归纳主要观点

前面两课我们介绍了主词和主句，这是寻找主要观点的捷径，但作者并不总是那么“友好”。在许多文章和段落中，并没有现成的主句，这时，读者就必须在阅读的过程中判断、分析文段中的各种观点和细节，尽可能简练地把主要观点归纳出来。在进行这种阅读时，要合理地分配注意力：把注意力集中在定义性、总结性、介绍性文字中，而遇到描述、叙述、列举类的文字则可以加快速度。以下段落是一篇介绍谈判策略(tactics of negotiation)的文章中的一段：

> 适当的赞美会使谈判双方在谈判时保持友好的态度，而不是像敌人一样。但是过度的赞美显得不真实，让人觉得你在说假话，反而不喜欢你。当跟你谈判的人赞美你时，你应该冷静地接受，然后也赞美他一下。一定要记住，不要在互相赞美中忘记了谈判的真正目的。

本段有四句话，显然，没有一句话是主句。但我们已经知道这是一段关于谈判策略的文字，我们还可以找出两个比较重要的词：赞美、适当。稍微组织一下，可以归纳出主要观点：适当的赞美是谈判策略之一。

练习

阅读以下段落或文章，然后写出主要观点

有人做事总是有开始没有结束。他们一会儿这样，一会儿那样，有头没尾，不能坚持到底。这表明他们不是反复无常，就是轻易地去做自己办不到的事。值得做的事情就应该做完，如果不值得去做，那又何必开始呢？好的猎人不仅追踪猎物，而且还要把它们杀死。

主要观点：

许多人认为抱怨(complain)是改善自己处境的一种方法。你在酒店里没有得到好的服务,你向经理抱怨,他会道歉并给你补偿。但在平时的生活中,抱怨通常会使你令人讨厌,却不能使你得到别人的同情,相反,有时还会引起别人对你的轻视和无礼。你向别人抱怨有人欺负你,很可能那个人就是下一个欺负你的人。

主要观点:

一天,有一个小偷闯入著名画家毕加索(Picaso)家偷东西。当小偷拿完东西逃跑的时候,被女管家看见了,她随手拿起纸和笔,画下了小偷的样子。这时,毕加索也发现了小偷,他也把小偷的样子画了下来。警察按照毕加索画的画像抓小偷,可是却抓错了;只好求助于女管家画的画像,结果,一下就抓住了真正的小偷。

主要观点:

在一个下着大雪的日子里,年老的马克·吐温(Mark. T)让自己在雪地里站了三个小时,于是他病了,不久就离开了人世。

看过马克·吐温的《我的自传》的人们知道,他这么做是为了惩罚自己。因为,他在书中承认,他杀死了自己的孩子。

原来,马克·吐温曾经有一个儿子。在那孩子三个月时,马克·吐温的妻子有事需要外出,请马克·吐温照顾孩子几个小时,马克·吐温答应了。那天下着大雪,非常冷,马克·吐温却把孩子的摇篮推到门外的走廊上,自己则坐在旁边看书。他看得很专心,也没有听见孩子的声音。过了半天,他放下书本,发现孩子不知什么时候把小被子踢掉了,已经冻得快死了,当时的温度是—19℃。

他急忙把孩子抱进屋里。妻子回家后,发现孩子病了,但马克·吐温不敢告诉她发生了什么事情。几个小时后,孩子就死了。

马克·吐温一直隐瞒着这件事,他同时也感到自己是个有罪的人。直到妻子死后,他才在自传中说出了真相。

主要观点:

(本练习所有文字均根据《读者》文章改写)

二、阅读训练

阅读 1

家务活不轻松

一、找出文章中下列数字后面的量词或名词

5	12	60	120～140
600	2000	2500	2700
3000	5000	8000	1.3万

家庭主妇的家务活是最繁重的一项工作。据统计，一个要照顾两个孩子和丈夫的妇女每年要刷1.3万个盘子、8000把刀叉、3000次锅。一个家庭主妇要搬动和整理的餐具，算下来每年要有5吨重。

为了去商店和市场购买生活用品，一个家庭主妇每年要走2000公里路。据波兰妇女委员会统计，一个由丈夫、妻子和两个孩子组成的四口之家每年购买的物品有2500公斤。

据美国的资料统计，美国平均一位妇女每月干家务活的劳动力价值600美元。一位妇女每周要干12种家务活，花费约60个小时。如果由某个公司来洗衣、打扫卫生、购买食品，再加上照顾家人，这些劳务的工钱正好是每月600美元。

意大利的研究人员认为，家庭主妇的家务活是有很大危险性的。这些研究人员统计，意大利每年直接死在厨房的妇女约5000人，原因是她们不小心和不会使用电器以及电器用具而出了事故。

一个家庭主妇在一个普通的工作日要消耗2700大卡热量，相当于中等程度的体力劳动者消耗的热量。由于天天负担过重，家庭主妇的脉搏一般可达每分钟120～140次。

看了上面的材料，谁能说家庭主妇就是不工作、靠丈夫养活的人？

（根据《参考消息》文章改写）

二、再次阅读，填写表格

国家	统计者	统计的内容	有关数字
		a. 清洗餐具的数量 b.	a. b. 5 吨/年
波兰		a. b.	a. 2000 公里/年 b. 2500 公斤/年
		a. 家务活的种类 b. c. 劳务的工钱	a. b. 60 小时/周 c.
	研究人员	a. 死在厨房的妇女	a.
		a. 消耗热量 b.	a. 2700 大卡/天 b. 120～140 次/分钟

(有的栏目可能空缺)

三、选择正确答案

1. 本文的主要观点是：
   A. 妇女不应该当家庭主妇　　B. 我们应该尊重家庭主妇的劳动
   C. 丈夫应该给家庭主妇发工资　　D. 丈夫应该分担家务活
2. “餐具”是：
   A. 吃饭的用具　　B. 烹调用具　　C. 一种家具
3. 字典中“统计”有两个解释，请选择它在文章中的意思：
   A. 指对某一现象有关的数据的搜集、整理、计算和分析等
   B. 总括地计算：把人数统计一下

生　词

家务　jiāwù　（名）　housework　家庭里需要做的事情，如做饭、打扫等。
委员会　wěiyuánhuì　（名）　committee　集体领导组织或者为了完成一定的任务而成立的专门组织。
价值　jiàzhí　（动、名）　to be worth　体现在商品里的社会必要劳动；积极作用。
热量　rèliàng　（名）　amount of heat　热能的多少，单位是卡。

脉搏　màibó　（名）　pulse　心脏收缩时引起的动脉的跳动。

阅读 2

一句话和一个动作

亨利一生中最喜欢做的事情就是爬山。有一天他出去爬山，在离山顶大约三百米的地方摔倒了，头部受了重伤。当别人把这个不幸的消息告诉他的妻子时，她只问了一个问题："他摔倒的时候，是正在上山还是正在下山？"

几个星期以后，亨利的伤好了，听说了妻子的问题，他对人说："我真是太感动了。虽然当时她面临着可能会失去我的不幸，但她深深地爱我，爱得那么深，所以她最关心的是如果我死了，我是不是死得快乐，死得骄傲。我将永远记住她的爱，更不会忘记她的勇敢带给我的骄傲。"

小丽第一次在家里请客。她请大家吃点心，其中有一样是她做的巧克力蛋糕，这是她照着食谱做出来的试验品。吃点心的时候，小丽让她的丈夫小麦先尝一口。她看到丈夫脸上痛苦的表情，知道蛋糕的味道和她希望的一定很不一样。可是，小麦把整个蛋糕都拿了过去，并对客人们说："对不起，这个蛋糕是我最爱吃的，是小丽专门为我做的。既然这里还有其他点心，我就把这蛋糕全包下了。”

“他就坐在桌子边上，”小丽总是幸福地回忆那天的情景，“勇敢地吃着那蛋糕。实在吃不完了，他就把蛋糕切开，然后每块咬一口。这样其他客人就不会发现那蛋糕的味道是多么可怕了。小麦那了不起的动作使我确信，他是一个会保护我的丈夫。”

（根据《读者》精华本第二卷文章改写）

一、请在文章中把题目的“一句话”和“一个动作”划出来

二、判断对错

(　　)1.“骄傲”在这里不是“谦虚”的反义词，而是“自豪”的同义词。

(　　)2. 亨利的妻子想知道亨利成功了没有，因为她也喜欢爬山。

(　　)3. 小丽常常做巧克力蛋糕。

(　　)4. 蛋糕的味道好极了，所以小麦把它全吃了。

(　　)5. 小麦表情“痛苦”是因为蛋糕很不好吃。

(　　)6. 小麦说“我就把这蛋糕全包下了”的意思是“我要把蛋糕全吃光”。

阅读 3

明式家具

明代(Ming Dynasty)是中国历史上家具发展的一个高峰。明式家具总结和吸收了以前各个时期家具制造的经验，发展了制作技术，具有简洁、精美、实用、典雅的特点。

明式家具十分重视材料的选择：最好的家具都用紫檀、乌心石、花梨等木料；差一点的采用乌木、铁力木、酸枝木等；一般的民间家具则选用梓木、楠木、黄杨、榆木等。明代家具为什么能够使用这么多种多样的木材呢？这是因为明代中国的船队能够航行到很远的地方，中国商人可以坐船到东南亚和南亚等地方，并把那里生长的好木材不断地带回中国。

明代家具制作复杂，不要求做得快，但一定要做得仔细。一般的木工做一套家具，时间少的要三至五年，长的要八至十年。明代家具的设

计也很有科学性，家具的各部分都是用精密的榫头(tenon)来连接的，完全不用钉子或胶水，连接得十分牢固。明代家具大多数是涂生漆，这样能够充分显示木材本来具有的美丽、自然的颜色。明代家具在结构上跟中国的房屋建筑相似。例如，桌椅的脚就像是房屋的柱子。因此，明代的家具和房屋配合得很好。明代家具的造型也很讲究，家具的形状给人一种轻松优美的感觉，用起来很舒服，而且非常结实。

明式家具的确是最有代表性的中国家具。

(根据尹过均《居家文化》第三章第四节改写)

选择正确答案

1. 哪些木材是最好的木材？

A. 紫檀、乌木、花梨　　B. 紫檀、乌心石、酸枝
C. 花梨、铁力木、紫檀　　D. 花梨、乌心石、紫檀

2. 明代为什么有许多好木材？

A. 明代的人种了很多树
B. 东南亚有很多商人到中国来
C. 明代的商人可以坐船到东南亚、南亚去买木材
D. 明代东南亚、南亚的商人可以把好木材运到中国来

3. 一般的木工做一套明式家具最长用：

A. 三年　B. 五年　C. 八年　D. 十年

4. 下面哪个句子是正确的？

A. 明式家具用胶水和钉子连接，涂生漆，跟房屋结构相似，造型优美
B. 明式家具用钉子和胶水连接，涂油漆，跟房屋结构相似，形状优美
C. 明式家具用榫头连接，不涂漆，跟房屋结构相似，造型优美
D. 明式家具用榫头连接，涂生漆，跟房屋结构相似，形状优美

5. "造型"的意思是：

A. 制造出来的模型　　B. 制造出来的东西的形状
C. 制作一个特别的形状　　D. 制造出来的特别的东西

6. 下面哪个句子是正确的？

A. 明式家具的颜色就是油漆的颜色
B. 明式家具的颜色是由木工决定的
C. 明式家具的颜色跟木材有很大关系
D. 文章中没有提到明式家具的颜色问题

生　词

简洁　jiǎnjié　（形）　concise　简单，没有多余的东西。
典雅　diǎnyǎ　（形）　elegant　优美不粗俗。
木材/木料　mùcái/mùliào　（名）　timber;lumber　砍下来、经过加工的树木。
讲究　jiǎngjiu　（形）　exquisite　这里指精美。
配合　pèihé　（动）　coordinate　合在一起。

完型填空

情感智商：EQ

很长一段时间以来，智商（IQ）被认为是一个人是否能成功的关键，一个人智商越高，他就越(1)；越出色，他就越有可能成功。但美国科学家丹尼尔·戈勒曼在他的新作《性情智商》一书中指出，这是一个完全(2)的观点。在书中，戈勒曼分析了情感、性格、气质等等与智力的关系，得出了性情商数（EQ）比智力商数（IQ）(3)的结论。毫无疑问，大多数成功的科学家和艺术家具有很高的智力，但更多的同样聪明的人却一事无成。很多在学校里(4)出色的学生，后来获得的成就都(5)曾经向他们抄作业的同学。作者分析这些现象时，认为那些人虽然有很高的智商，但是，他们的情感智商(6)，因此他们的聪明才智并不能充分发挥出来，甚至完全没有发挥作用。

1. A. 成功　B. 出色　C. 成就　D. 杰出
2. A. 错误　B. 正确　C. 有问题　D. 没有问题
3. A. 重要　B. 更重要　C. 最重要　D. 不太重要
4. A. 成绩　B. 不太　C. 成就　D. 非常
5. A. 不比　B. 不如　C. 比较　D. 比如
6. A. 较高　B. 更低　C. 更高　D. 较低

第三十四课

一、技　能

抓主要观点之四:避免相关观点的干扰

在寻找或归纳主要观点的过程中,不熟练的读者很容易被文章和段落中的某些观点或信息迷惑,因为这些观点和信息总是跟主要观点有一定的联系,但它们却不是主要观点。如果在阅读之前,读者对文章或段落的题目和内容有所了解或对该题目有自己的看法,就比较容易犯此类的错误,因为,他的注意力可能不那么集中,他的判断也可能被原来的看法干扰。所以,读者不但要读得快,还要避免被自己原来就有的一些相关看法干扰阅读。请看以下例子:

> 我认为亚洲地区整体的经济发展前景非常好。但有一个不可避免的问题是,亚洲国家越富有,经济增长率就越下降。如日本现在的经济增长率比二十年前低得多,这是自然的趋势。因此,目前亚洲地区经济有一点下降的现象是可以理解的,这只是一种周期性的循环。

在这一段话中,作者用了一半的篇幅来说明亚洲经济"增长率的下降",而读者也许早就知道这的确是一个事实。那么,本段落的主要观点就是"亚洲经济增长率下降"吗?答案是否定的。作者主要的观点是"亚洲经济发展的前景非常好",而"增长率"是与发展有关的一个问题。

练习

阅读以下段落后判断给出的观点是:**1.** 主要观点 **2.** 有关观点 **3.** 无关的观点

战场上的"护身符"

1935年,绮华年(一个瑞士的制表公司)为飞行员设计"空军一号"手表,是世界上最早的航空计时器之一。这个系列的手表具有防磁、三十米防水、防震、精密的计时功能,以及在黑暗中仍然能够清楚显示的荧光刻度。难怪在第二次世界大战时，英国军人特别喜欢佩戴这种手表，称它为战场上的“护身符”。不单如此，“空军一号”还为飞行员准备了旋转针盘，帮助他们记录飞行时间，十分准确。旋转针盘的外圈还可以记录剩下的飞行时间，这一创新的设计，为以后的此类手表提供了一个模式。直到今天，绮华年除了保留“空军一号”原有的功能外，还增加了自动上发条和日历显示的功能，优点比以前更多了。

A.“空军一号”在第二次世界大战中十分受欢迎。（　　）

B.“空军一号”是最好的飞行手表之一。（　　）

C. 瑞士是手表王国。（　　）

D. 绮华年公司不断改进“空军一号”。（　　）

最有前途的行业

哪种行业在亚洲最有前途？这很难一概而论，因为每个国家和地区的发展情况不一样。新加坡会在高科技行业上比较有利，香港特别行政区则可以在服务性行业占优势。其他国家如中国、泰国及印尼等都在劳动密集工业（如服装业和玩具业）上有优势，其中泰国更有竞争力，因为它已经慢慢转向一些附加价值较高的生产，这与十至十五年前的新加坡差不多。

A. 在亚洲，所有行业都有前途。（　　）

B. 不同的行业在不同的国家和地区有前途。（　　）

C. 亚洲的经济很有前途。（　　）

D. 新加坡比泰国先进，泰国又比中国和印尼先进。（　　）

便携式（portable）电子设备和飞行安全

在一份新的报告中，美国航空无线电技术委员会建议飞机起飞和着陆时，严格执行不准使用便携式电子设备（electric instrument）的规定，因为起飞和着陆是飞行的关键时刻，不能出一点差错。专家们对可能出现的危险很担心，甚至要求在整个飞行过程中禁止使用任何电子设备。便携式电子设备包括便携式电脑、寻呼（BP）机和蜂窝电话。安全和方便，哪个更重要？还没有人能确定电子干扰的危险到底有多大。英国政府猜测,是一台便携式电脑或蜂窝电话导致了1991年劳达航空公司的那次事故。当时,一架波音767客机刚刚从曼谷起飞,飞机上的一台计算机奇怪地发动了反向推进器。在那次灾难中,飞机上二百二十三人全部死亡。一位美国科学家说:“如果让我来决定,我绝不会让任何人把便携式电子设备带上飞机。”

A. 专家们建议,在飞机上禁止使用便携式电子设备。(　　)
B. 便携式电子设备有副作用(side-effect)。(　　)
C. 我们应该想一想:安全和方便哪个更重要。(　　)
D. 在飞机上使用便携式电子设备影响飞行安全。(　　)

电话的新功能

电话的功能越来越多,以满足使用者的不同需要。电话的许多新功能在从前是不可想像的:“选择性来电接通服务”只接通几个预定的电话号码,其他的电话都不接;“回电服务”可以自动重拨上一次来电者的电话号码。其他的服务也为人们带来不少方便,其中一种是让每一个家庭拥有多达六种的电话铃声,每一位家庭成员根据不同的电话铃声判断由谁接听。目前,最受欢迎的是“来电者身份显示服务”,使用者每月交一定的费用后,每一次有电话进来,对方的电话号码都会显示在电话上,即使电话在未接听前就已经挂断了,打电话人的电话号码也会显示出来。有一些人对这种令人暴露身份的服务十分不满,于是电话公司又提供了一些隐藏身份的服务。正如社会学家指出的那样:这是一场通信服务的比赛。

A. 现在,人们越来越离不开电话了。(　　)
B. 电话的新功能受到用户的欢迎。(　　)
C. 电话公司发展了许多新的电话服务。(　　)
D. 电话公司的新服务,有的人喜欢,有的人不喜欢。(　　)

预付大学学费

为了减少物价和学费上涨的影响,美国开始流行预付大学学费的做法。父母在子女出生以后,就以一次性或分期付款的方式为他们预付大学学费，有些还包括食宿费用。交了钱之后，如果指定的子女不能上大学，可以转让给其他兄弟姐妹或退钱。有些预付学费计划只适用于本州学生，但也有可将预付的学费用于全美所有大学的计划。目前，这种办法已经在九个州实行，另外有十二个州也将采用。

A. 美国的经济状况越来越不好。(　　)

B. 因为物价和学费上涨，美国人害怕交不起学费。(　　)

C. 有些美国人参加为子女预付大学学费的计划。(　　)

D. 越来越多的人为子女预付大学学费。(　　)

(本练习全部段落均根据《海外星云》文章改写)

二、阅读训练

阅读 1

电话收费单

回答问题

(一)

1. 王大一的电话号码是多少？
2. 王大一一共打了多少钱的市内电话？
3. 哪一天的电话费最多？哪一天的电话费最少？
4. 1997 年 1 月 22 日，王大一用了多少电话费？
5. 哪几天，王大一只打了市内电话？

83811888　　王大一　　1997 年 1 月 16 日至 2 月电话费　　(单位：元)

市话费	郊县费	长话费	附加费	基本费	总计	实交费
21.93	7.65	184.30	7.01	17.00	199.77	199.77

电话号：83811888　　月份：1

日期	市话	郊县	长话	总费(元)
16	0.68	0.34	0.00	1.02
17	0.17	0.00	0.00	0.17
18	1.19	0.51	11.05	12.75

日期	市话	郊县	长话	总费(元)
19	1.02	0.34	0.00	1.36
20	0.51	0.00	8.50	9.01
21	0.17	0.34	102.00	102.51
22	0.68	0.00	12.75	13.43
23	0.34	0.00	3.75	4.09
24	0.17	0.00	0.00	0.17
25	1.02	0.00	0.00	1.02
26	0.68	0.00	0.00	0.68
27	0.17	0.00	0.00	0.17
28	0.68	0.00	0.00	0.68
29	0.34	0.17	0.00	0.51
30	0.68	1.70	6.25	8.63

(二)

1. 这里列出来的电话是市内电话、郊县电话还是长途电话?
2. 王大一打的最多的电话号码是什么?
3. 哪一天,王大一连续打了三次电话?
4. 最长的电话打了多久?最短的电话打了多久?
5. 王大一在哪一天下午5:30左右打电话?

电话号:83811888　　　月份:1

日　期	时　间	主　叫	被　叫	通话时间	话　费(元)
970118	214102,214350	83811888	07553355328	2:48	2.55
970118	214425,214432	83811888	0085225802303	0:7	4.25
970118	214506,214527	83811888	0085225802303	0:21	4.25
970120	185012,185136	83811888	0085225662464	1:24	8.50
970121	165313,171631	83811888	0085225662464	23:18	102.00
970123	173342,173443	83811888	0085225662464	1:2	8.50
970123	184802,184824	83811888	0085225662464	0:22	4.25
970124	134618,134634	83811888	01064386716	0:18	1.25
970124	134701,134819	83811888	01064386716	1:18	2.50

阅读 2

有趣的“新闻”

一天，我在河边见到一个老人，正在整理他收购来的旧报纸，我随便翻翻，看到了一些有趣的“新闻”。

一个人生气十分钟所用的能量等于参加一次三千米的赛跑。愤怒的人会呼出有毒的气体，这种气体在水中有紫色沉淀(sediment)，可以毒死一只小白鼠。生气的母亲给婴儿喂奶会使婴儿中毒。动物在被人杀死时总是很生气，所以喜欢吃肉的人要小心，因为动物生气时产生的毒会聚集在他们的身体中。

炸掉月亮，然后把月亮的碎块填到大海里。一些著名的天文学家、数学家、航天学家、物理学家和农业学家经过讨论、计算和试验，认为这是一个可以实现的计划。

成千上万的姑娘们穿上游泳衣到沙滩上“晒月光”。十七岁的女高中生辛迪说：“月光像太阳光一样，使我的皮肤变成古铜色，但月光里没有紫外线(altraviolet ray)，不会像阳光一样伤害皮肤。”相信到 8 月，会有一半以上的青年爱上“晒月光”。

美国费城的心理学家最近宣布了一个结论：“汉字可以治病。”引起了医学界、心理学界、语言学界的广泛注意。欧美人使用拼音文字只能发挥大脑左半球的功能，而右脑却没有用；中国人和日本人使用的汉字，靠大脑左半球认识和记住字音，右半球认识和记住字形，左右大脑一起使用才能掌握字义。所以汉字有利于大脑和心理的全面发展和合作。

(根据鲁枢元《稿纸上的劳生伯》改写)

一、在右边的选项中找出左边列出的现象的原因

年轻人在有月亮的晚上到海边	月亮被炸掉了，碎块被倒入海里
母亲生气的时候不能给婴儿喂奶	人生气时会产生有毒的物质
有精神病的人学汉字	动物被杀时很生气
少吃肉，多吃菜	月光使人的皮肤又漂亮又健康
月亮和大海都没有了	学汉字可全面使用大脑，有利于人的心理发展

二、在同类词中划出不一样的词

1. 字音　　字义　　字形　　汉字
2. 深红色　　浅紫色　　古铜色　　彩色
3. 农业学家　　物理学家　　数学家　　科学家
4. 精神　　心理　　大脑　　手脚
5. 紫外线　　X光线　　红外线　　羊毛线

三、作者对他看到的新闻的态度是

A. 不相信,对这些假新闻感到很生气
B. 相信,对人类不断有新发现感到高兴
C. 怀疑,想找出真正的答案
D. 怀疑,但觉得很有意思

生　词

收购　shōugòu　(动)　purchase　从不同的地方买进。
能量　néngliàng　(名)　energy　物质做功的能力。基本类型如:热能、电能、动能、原子能。
半球　bànqiú　(名)　half-hemisphere　球体的半边,如地球的东半球,大脑的左半球等。
心理　xīnlǐ　(名)　psychology;mentality　人的大脑反映现实世界的过程,如感觉。

阅读 3

父亲给女儿的一封信

立儿:

你好。

去海口看望你回来,已经有一个月了。家里都好,不要挂念。

两个弟弟读书还算用心,成绩有一定进步,特别是唐山的数学成绩进步要快一些,希望你多来信鼓励他们。

你的身份证已经办好了,现寄给你,要保管好,千万不能丢失,人在外,身份证是非常重要的,它能证明你的一切。

我回来后几天,母猪产了几头小猪,目前长得很好,估计到4月底能卖出去。油菜现在正是开花的时候,田野里到处是金黄色,而且长势

好，估计收成也会不错。早稻秧苗下泥了，我计划不种早稻而全部改种一季稻，那样你母亲会轻松一些。她经常说你外出，又有多少天没有来信了，希望你多来几封信，让她少挂念一些。天下父母心，都是疼儿女的，你要理解母亲的心。一个家庭妇女，没机会出门，只能在家天天想念儿女。

你韩叔他们一家都好吧？请代我向他们问好。

你四叔给你买衣服，那是他对你的关心，在他身边就跟在父母身边一样，要听话，他的钱也是血汗钱，来得不容易。要尽量节约，买什么都不能大手大脚。

唐田、唐山都给你写信了，只希望你少想家，心情愉快，生活快乐。玉芳昨天回来了，她说给你去信了，收到了吗？

好，不多写，祝你一切顺心。

你的父亲：唐正凡

1994年3月28日

（根据《天涯》文章改写）

一、回答问题

1. 收信人现在住在哪里？

2. 写信的人是做什么工作的？
3. 收信人收到信和什么？
4. 收信人的母亲常常旅行吗？
5. 收信人的弟弟叫什么名字？她的名字可能叫什么？
6. 收信人现在可能跟谁住在一起？

二、选择正确答案

1. “血汗钱”的意思是：
   A. 钱上面有人的血和汗　　B. 很不容易才得到的钱　　C. 罪犯抢来的钱
2. “大手大脚”的意思是：
   A. 很大的手和脚　　B. 非常不小心　　C. 随便花钱
3. “挂念”的近义词是：
   A. 想念　　B. 纪念　　C. 怀念
4. “天下父母心，都是疼儿女的”的意思是：
   A. 父母因为挂念儿女得了心脏病　　B. 父母都关心、喜爱儿女
   C. 儿女总是让父母痛苦

生　词

身份证　shēnfènzhèng　（名）　identity card　证明身份的证件。
长势　zhǎngshì　（名）　the growing trend of a crop　庄稼生长的情况。
秧苗　yāngmiáo　（名）　rice seedling　水稻的幼苗。

第三十五课

一、技　能

抓主要观点之五:文章结构

前面几个有关抓主要观点的技能训练都主要围绕着段落阅读进行,当然,上述的方法同样可以应用于文章阅读。本课将把重点放在文章阅读上。

一般而言,文章和段落一样,无论它有多少个自然段,在结构上它只是简明地分成两部分:第一,提出主要观点;第二,用原因、细节或事实支持主要观点。在文章中,常常有一个或更多的段落是包含主要观点的主段,而剩下的段落则包含了支持主要观点的各方面内容。

一旦读者找到文章的主要观点,整篇文章的结构方式就开始清晰起来。你就可以知道什么是文章的要点,以及围绕要点而进行的种种叙述和论证,然后,你还将看到这两部分之间是怎样连接成一体的。

跟段落一样,文章的作者也常常把包含有主要观点的段落放在文章的开始和结尾。很多作者觉得有必要在较长的文章中两次提出主要观点:一次是在开始的段落,让读者对他们将要阅读的东西有一个概括的了解;第二次是在文章结尾的段落,这往往是一个总结,作者借此再次明确他的观点。

当然,也有的文章并不直接写明它的主要观点,而是通过段落的组合透露出来。

练习

《衣饰的天地》内容介绍

人人都爱美,在今日的社会中,注重外表妆扮,仿佛已经成为一种社会风气,成为生活的必需。

现代人讲究妆扮,古代人也是一样。特别是有“衣冠古国”之称的中国,它的服装和装饰有着更加悠久的发展历史。然而我们对这方面的认识又有多少呢?当时服装的潮流是什么?古代的奇装异服究竟是怎样的?不同身份的人应该怎样穿衣服?《红楼梦》中服装的设计水平、颜色搭配又怎样？戏剧舞台的服装是怎样形成的？穿衣打扮和国家的强大与否又有什么关系？如果你对这些问题有兴趣，可以翻翻《衣饰的天地》。

这本书以杂谈漫话的形式，介绍中国古代各式各样的衣服和装饰品，也告诉我们古人打扮的秘密。在回忆从前的时候，也许对我们今日的生活有所启发。

（根据王维堤《衣饰的天地》封底简介改写）

阅读文章，回答问题

1. 指出主要观点是什么？在哪一段？
2. 简要说明其他各段写什么？

澳大利亚维多利亚州中小学汉语教学简介

90 年代以来，随着中国和澳大利亚关系的进一步发展，澳大利亚的汉语教学越来越受到重视，汉语和日语、朝鲜语和印度尼西亚语一起被列为亚洲四大语言。近几年汉语教学在澳大利亚中小学也有了较大的发展。

以维多利亚州为例，到 1995 年为止，在 2000 多所中小学中，共有 113 所学校开设了中文课程，其中政府学校 61 所，非政府学校 5 所。除了这些全日制学校以外，不少周末语言学校和周末社区学校也开设了中文课。随着汉语教学的发展，在教材、教师、教师培训、教学法以及课程设置等方面，一些问题也随之出现。我在这里结合自己几年来在澳洲教汉语的体会，就这些问题谈一些想法和建议。

首先谈谈教材方面的问题。维多利亚州中小学 90 年代以前用的教材……

（根据《中山大学学报论丛》1997 年第 4 期潘小洛同名文章改写）

回答问题

这篇文章的主要观点是什么？

二、阅读训练

阅读 1

差不多先生的故事

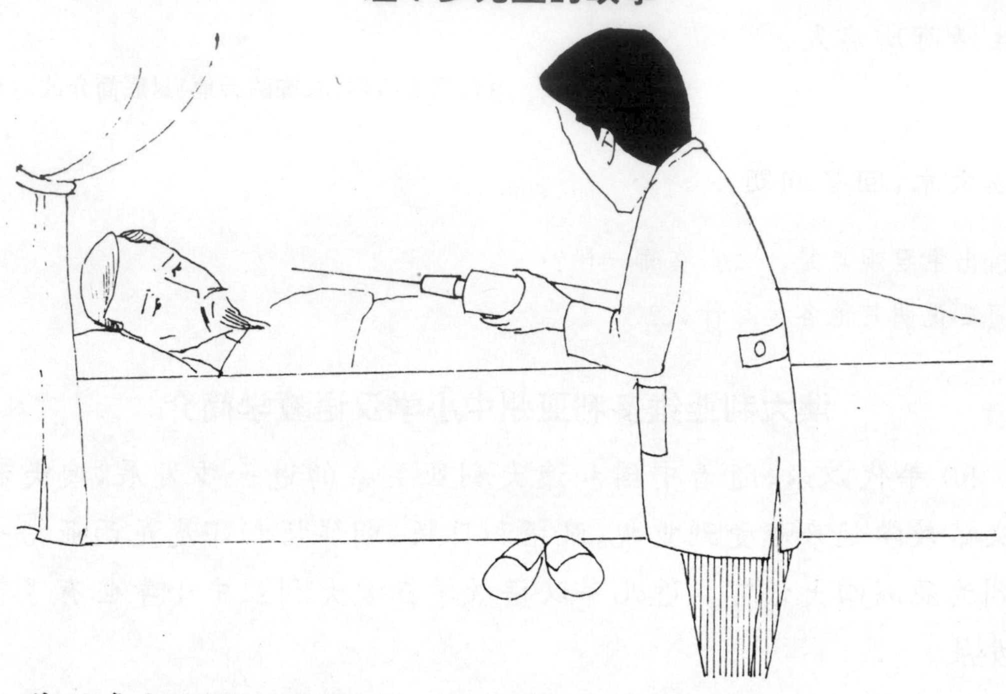

差不多先生是个有名的人，你一定见过他，听说过他。差不多先生的名字差不多天天挂在中国人的口头上。差不多先生常常说："做事情只要差不多就行了，不要太认真。"

他小时候，妈妈叫他去买红糖，他买了白糖回来，他妈妈骂他，他说："红糖、白糖不是差不多吗？"

他上学的时候，老师问他："河北省的西边是哪一个省？"他说是陕西，老师说："错了，是山西。"他说："山西和陕西不是差不多吗？"

后来他在一个商店里工作，他会写字也会算数，但他总是把十字写成千字，千字写成十字。商店的主人生气了，他只是笑着说："千字和十字不是差不多吗？"

有一次，他为了一件重要的事，要坐八点三十分的火车去上海，他八点三十二分才到车站，火车已经开走了。他摇摇头说："那我就明天走吧，今天走和明天走是差不多的，可是这火车为什么不等等我呢？八点三十分开和八点三十二分开不是差不多吗?”

有一天,他得了重病,叫仆人赶快去请东街的汪大夫。那仆人太着急了,没有找来汪大夫,却找来了西街的王大夫。躺在床上的差不多先生知道仆人请错了大夫,但他想:“汪大夫和王大夫差不多,就让他给我治病吧。”可是王大夫是个兽医,他用治牛、治马的方法给差不多先生治病,不到一个小时,差不多先生就死了。

(根据胡适《差不多先生传》改写)

一、差不多先生觉得什么和什么差不多?请在给出的词和词组后面写出来

千(　　)　　红糖(　　)　　汪大夫(　　)

八点三十分(　　)　　陕西(　　)　　明天(　　)

二、选择正确答案

1. 文章的主要观点是什么?
   A. 差不多先生是很可爱的人,所以他有名
   B. 不认真的人最后都会自己害了自己
   C. 做事不要太认真,差不多就行了
   D. A和C
2. 为什么说“差不多先生的名字差不多天天挂在中国人口头上”?
   A. 因为差不多人人都认识差不多先生
   B. 因为“差不多”是常常使用的口语词汇
   C. 因为很多中国人做事都不怎么认真
   D. B和C
3. 差不多先生为什么把“千”写成“十”,把“十”写成“千”?
   A. 因为他不会写字　B. 因为他不会算数　C. A和B　D. 因为他不认真
4. “兽医”是:
   A. 给野兽治病的医生　　B. 给牛和马治病的医生
   C. 很不好的医生　　D. 给动物治病的医生

生　词

仆人　púrén　(名)　servant　被雇佣到家里做家务、为家人服务的人。

阅读2

太太们的秘密武器

美国出售间谍用品的商店生意十分好。但这些商店的顾客并不是像007一样的间谍，而是那些怀疑丈夫在外面有情人的太太们。她们喜欢购买的用品有以下几种：

第一：荧光(fluorescence)喷雾剂。这种用品能喷出奇妙的“荧光剂”，“荧光剂”用肉眼是看不见的，但是在特殊的灯光下，它会闪闪发光。一位太太怀疑一个女人是她丈夫的情人，于是想办法在那个女人的门口喷了一点“荧光剂”。当天晚上，她丈夫很晚才回家，并告诉太太他加班了，但太太用特殊的灯往他的鞋子上一照，发现上面留下了“荧光”。于是，丈夫只好承认他有婚外恋。

第二：X光(X ray)喷雾剂。把它喷在没有拆开的信封面上，里面的文字就能清楚地显现出来，显现的时间大约有一分钟。有位太太在喷雾后，看见信中写着“我爱你”、“我等着你”之类的词句。这些都成了她的证据。

第三：隔墙偷听机。这种耳机形电器，能把声音放大25000倍，戴着这种机器偷听，太太们能听见隔壁房间任何微小的声音。

由于这些用品都是高科技产品，因此价格不低，简单的每件两三百美元，制作复杂一点的一件要上千美元。

(根据《读者精华》文章改写)

一、选择正确答案

1. 这篇文章的主要内容是：

   A. 太太们可以去当间谍　　B. 丈夫们常常有秘密情人

   C. 介绍太太们对付丈夫的间谍工具　　D. 介绍间谍用品的新功能

2. 这篇文章的主要观点：

   A. 在第一段　　B. 在最后一段　　C. 需要归纳　　D. 在中间的段落

3. “婚外恋”的意思是：

   A. 结婚以后，跟不是太太的人谈恋爱

   B. 结婚以后，和太太好得像谈恋爱的时候一样

C. 离婚以后再谈恋爱和结婚

D. 离婚以后，再谈恋爱，但是不结婚了

二、请在用品和它们的特点之间连线

A. 荧光喷雾剂　　　　像一个耳机

B. X光喷雾剂　　　　在灯光照射下会发光

C. 隔墙偷听机　　　　使人看到里面的物体

生　词

间谍　jiàndié　（名）　spy　为敌方或外国从事收集情报、国家机密或进行颠覆活动的人。

喷雾剂　pēnwùjì　（名）　spraying agent

肉眼　ròuyǎn　（名）　naked eye　人的眼睛（表明不用特别的仪器的帮助）。

阅读 3

幽默二则

我在百货公司女装部买东西，有个顾客跟我说："我女儿要结婚了，"她两眼发亮地告诉我，"她的未婚夫是个医生。"

她走进试衣室后，她女儿走过来向我道歉："对不起，我母亲打扰你了。"我说："没关系，她告诉我你的未婚夫是一个医生，她很高兴。"

"对，"她叹了一口气说，"可是妈妈总是忘记告诉人家，我也是医生。"

我母亲是公司的经理，有一次她和来找工作的人谈话，来者是一个相貌和身材都不错的女孩子，母亲问她有没有什么特长。那女孩子想了一想，十分慎重地回答："我的腿特长。"

回答问题

1. 在百货公司里购物的母亲说话时为什么眼睛发亮？

A. 因为她很高兴　　　　B. 因为她高兴得哭了

C. 因为她的眼睛很漂亮　　D. 短文里没有说明

2. 从短文中可以看出什么？

A. 母亲认为女儿不应该当医生

B. 她认为女儿找一个好丈夫比找一个好职业重要

C. 她认为女儿找一个好职业比找一个好丈夫重要

D. 女儿和她的未婚夫，她更喜欢后者

3. 我母亲问的"特长"和女孩说的"特长"的意思是什么？

A. "特别拿手的技能"的意思　　B. "特别长"的意思

C. "特别长"和"特别拿手的技能"　　D. "特别拿手的技能"和"特别长"

4. 作者认为女孩子是个怎样的人？

A. 她又可爱又漂亮　　B. 她既聪明又幽默

C. 她不是无知就是愚蠢　　D. 她是个头脑简单的人

生　词

慎重　shènzhòng　（形）　prudent　小心认真严肃。

阅读 4

最早的中国地图

按照学者的说法，人类在发明文字之前就已经使用地图了。不过我们所能见到的最早的中国地图，是 1973 年在湖南长沙出土的汉代 (Han Dynasty) 地图。

出土的汉代地图一共有三张。一张是地形图，长、宽各 98 厘米，比例约为 1∶80000。地图上绘制的范围大概在今天湖南、广东和广西三省交界的地区。图中有大小河流三十多条，都用线条表示，其中九条还写上了名称。在图上分布着八十多个居民点，大的城镇用方形符号表示，小的村镇用圆形符号表示。

另一张地图是驻军图，图中有九个军队居住点，都用深红色等深颜色表示。图中左边正中有一个"东"字，上面偏右有一个"南"字，这和我们今天地图的上北下南、左西右东的方向是相反的。

第三张地图只有前两张地图的一半大小。它是一个城市的地图，有一点像现代的城市街道图，还画有一些主要建筑的图形。只可惜图上没有说明它到底是当时的哪一座城市。

（根据《粤语区人学习普通话教程》改写）

选择正确答案

1. 下面哪一种说法是错的？
   A. 1973 年出土的汉代地图是中国人画的第一张地图
   B. 城市图是三张地图中最小的一张
   C. 现在地图的方向是上北下南、左西右东
2. “驻军”的意思是：
   A. 军队在某地休息　　B. 军队在某地打仗　　C. 军队在某地住下
3. 关于地形图，下面哪种说法是对的？
   A. 图上画出了九条河流
   B. 地形图的范围是广东、广西和湖南交界的地方
   C. 图上有八十多个大的城镇

生　词

地形　dìxíng　（名）　topography　地球表面的形态。
绘制　huìzhì　（动）　draw（a design, etc.）　画（图表）。

第三十六课

一、技　能

抓标志词之一：什么是标志词

一篇文章是由许多句子组成的，而这些句子之间必定有某种联系。这种联系是多种多样的：一种联系是内容方面的，例如，一篇介绍到桂林旅行的游记一类的文章，一定都是一些桂林的地名，有关风景的描绘，旅游者的食、住、行等各方面的议论；但另一种联系则是内在逻辑的联系，这种联系往往由一些特殊的词显示出来。请看以下例子。

早上一起床，张宇就觉得心烦意乱。有好几个原因让他这样：第一，他的眼睛疼得很，洗脸的时候照镜子，他看见眼球全红了；第二，报社今天要开会，他根本没有时间去医院看眼睛；第三，昨晚睡觉前，他接到大林的长途电话，说他要从新西兰回来了，这就意味着张宇必须尽快找到另一个住处，因为他现在住的就是大林的房子；第四，张宇打开冰箱，发现里面空空如也，就只好饿着肚子上班。但出门的时候，张宇看见阿兰留在门口的大包，就想到阿兰，他一向喜欢想到阿兰时的感觉。这样，张宇的心情就好了一些，眼睛也不那么疼了。

我们可以根据这样一些特别的词来看以上文字：

1. “第一”，“第二”，“第三”和“第四”，这几个词标志了顺序、分类，在这里分别带出了几个原因。

2. “但”暗示了情况可能有所改变，向相反的方向发展。前面一直在说明令张宇“心烦意乱”的原因，后面是令他“心情就好了一些”的原因。

3. “这样”后面往往引出一个结论性的句子。这里是说：最后，张宇的坏心情好了一些。

这些特别的词就是标志词，标志词跟复句中的关联词有重叠的地方，但是，标志词联系的是整个篇章和段落，而不是单独的句子。

对于中国人来说，他们总是在阅读时自然地领会并消化了这些标志词的指示意义，所以他们很少注意这些看起来跟内容没什么关系的词。然而对于学习汉语的外国人来说，要抓住标志词却是很重要、但也不那么容易的事。但当他们可以准确、迅速地抓住标志词后，他们的阅读速度和准确率将大大提高。因为，标志词像路标一样，指示出文章的脉络和层次。

要清楚地区分不同类别的标志词是很困难的，各类标志词可能有重叠的地方，有的词语在一篇文章中是标志词，在另一篇文章中又不是标志词。所以接下来几课关于标志词的介绍都是简略的，最重要的是读者要养成正确的阅读习惯，能对标志词做出正确的反映，就像你对红、绿灯产生反映一样。

练习

阅读以下文字，讨论哪些词是标志词

不论是谁，都可以有幽默感。所谓幽默感就是看出事物的可笑之处，用可笑的话来解释它，或用幽默的办法解决问题。比如说，一个小孩见到一个长着很大鼻子的生人，小孩子是不会客气的，马上就会叫出来："大鼻子！"如果这位生人没有幽默感，也许就会不高兴，孩子的父母也感到不好意思；如果他有幽默感，他会笑着对小孩说："那就叫我大鼻子叔叔吧！"这不，大家一笑了之就解决问题了么？

我们可以发现，英语和汉语的问候活动通常是先开始接触（说话人通过呼唤或眼神接触相互招呼），然后互致某些问候客套语，表示欢迎或乐意会面，再做寒暄。因此，问候语包含下列组成部分（尽管其数目和顺序在会话中可能有所变化）：(1)招呼（或呼唤）；(2)问候；(3)欢迎词语；(4)表示高兴；(5)寒暄。

试看简去见罗伯特时的问候过程：

……（此处省略）

类似的结构在汉语中也很常见。试看老张看望老王时两人的问候过程：

……（此处省略）

但是，在许多情况下，问候活动中有些成分是可以省略的。如果甲和乙在公园碰面，欢迎辞就没有必要了；如果甲和乙来去匆匆，寒暄之辞也就不会使用，整个问候语就可能压缩为"Hi-Hi"（英语）或"嘿—嘿"（汉语）。

然而,在有些场合,其他一些词语则有可能加进问候语中。例如,在中国传统的正式问候语中,主人有可能为自己没有出去迎接客人表示歉意。在比较正式的场合,就可能会使用“大驾光临,有失远迎”之类的套语。这样看来,问候语的内部结构就可能更为复杂了。

二、阅读训练

早期的南京路

要说中国最有名的马路,除了北京的长安街,就是上海的南京路了。

也许很多人都不知道,原来南京路的路面是木头做的。一张摄于1906年的老照片记录了南京路铺设红木砖路面和电车轨道的情形。提起南京路的红木砖面,当时还有一句顺口溜:“北京的蓬尘(灰尘)伦敦的雾,南京路上的红木马路。”听起来,顺口溜是来中国的外国人编的,土生土长的中国人不太可能把北京、伦敦和南京路放在一起。所谓红木,就是铁藜木,是一种坚硬的木料。用木头铺马路虽然有点奇怪,但也很有意思。这种做法，也只有外国人才能想出来吧！红木路面直到50年代才全部拆除，它在风吹雨打中度过了近半个世纪。

当时修路的中国工人头上还有辫子呢。他们大概没有人会想到，再过几年，在这片土地上，就只有女人还保留着辫子了。

南京路不仅是各种外来商品的集中地，在交通工具的引进方面也比其他城市先进得多。1874年南京路上便有了人力车，与传统的轿子、马车一起行走。1901年南京路上出现了上海历史上第一辆汽车。1908年3月5日，第一辆有轨电车出现在南京路上。1914年有了无轨电车。1922年有了公共汽车。

20年代的南京路，更加繁华。当时，在中国的道路上所能见到的最先进的交通工具，都聚集在这里。汽车的引擎声、喇叭声和电车的叮当声汇成一曲都市交响乐。此外，街道两旁的建筑也令人赞叹：罗马的古典主义、欧洲早期的现代派风格以及美国近代的建筑风格，都在南京路上投下了自己的影子。

这是七十年以前的南京路。南京路在七十年前所形成的格局一直保持到今天，而其“中华第一商业街”的地位，也没有动摇过。

（根据《老照片》第一辑杨天亮的《早期的南京路》改写）

回答问题、选择正确答案

1. 文章写了早期南京路的什么？
2. 这篇文章的主要观点是什么？你是在哪个段落中找到的，还是归纳出来的？
3. “1874年南京路上便有了人力车，与传统的轿子、马车一起行走。”你认为轿子是：

   A. 孩子　B. 一种动物　C. 一种交通工具
4. 南京路上各种交通工具出现的先后次序是：

   A. 轿子、有轨电车、无轨电车、人力车、公共汽车

   B. 轿子、无轨电车、有轨电车、公共汽车、人力车

   C. 轿子、人力车、有轨电车、公共汽车、无轨电车

   D. 轿子、人力车、有轨电车、无轨电车、公共汽车
5. “汽车的引擎声、喇叭声和电车的叮当声汇成了一曲都市交响乐”是什么意思？

   A. 有一种特别的交响乐，是由交通工具的声音组成的

   B. 交通工具的声音像交响乐一样好听

C. 交通工具的声音组成都市才具有的特殊的声音

D. 交通工具的声音各种各样，像交响乐团有各种乐器一样

生　词

铺设　pūshè　（动）　lay　把东西展开或摊开。

轨道　guǐdào　（名）　track　用条形的钢材铺成的供火车、电车等行驶的路线。

情形　qíngxing　（名）　situation　事物显示出来的样子。

顺口溜　shùnkǒuliū　（名）　doggerel;jingle　民间流行的一种口语短句，念起来很顺口。

土生土长　tǔshēngtǔzhǎng　（动）　locally born and bred　当地生长。

拆除　chāichú　（动）　remove;demolish　拆掉。

引擎　yǐnqíng　（名）　engine　发动汽车的机器。

交响乐　jiāoxiǎngyuè　（名）　symphony

阅读 2

木刻楞房子

木刻楞房子是位于中国最北部的漠河地区的一种房子。漠河紧靠着大森林，有很多木头。

木刻楞房子就是用木头造的房子。它一般都很高大，房子中间用几根圆柱子支撑着整个房子。由于漠河的冬季非常冷，所以这种房子的外面要糊上厚厚的泥土。房子里面没有天花板，站在房子里抬头看，看到的是铺在房顶上的红松木，还能闻到木头的香味。房子里要有两面火墙，搭两个火炉，火炉既可以用来取暖，又可以做饭。这种房子里的地板是木头的，家具也是木头的。

从房子的外面看，房子南边的墙上常常挂着东北特有的蒜辫子、辣椒串、鱼干等等；而西边的墙上则挂着各种农具和捕鱼的工具。

这样的房子就像是大自然的一部分，有一种不同平常的美丽。

（根据《羊城晚报》文章改写）

回答问题

1. 木刻楞房子是用什么造的？
2. 漠河在哪里？

3. 冬天，漠河的天气怎样？
4. 火炉有什么用？
5.“农具”是什么工具？
6. 从文章看，漠河的人可能做什么工作？

生　词

柱子　zhùzi　（名）　pillar　建筑物中直立的起支持作用的部分。
支撑　zhīchēng　（动）　brace，strut　支持使不倒下来。
天花板　tiānhuābǎn　（名）　ceiling　房屋里在屋顶下加的一层东西，一般是木板。
火炉　huǒlú　（名）　stove　供做饭、取暖等用的用具。

阅读 3

我能多做些家庭作业吗

您会惊讶地发现：您的孩子一下子真正迷上了学习，因为如今他得到一位出色的家庭教师，帮助他学习起来更带劲！其实这位家庭教师就是一台采用英特尔 MMX$_{TM}$技术的多能奔腾处理器的个人电脑，就是它，带着您的孩子进入了一个多媒体的世界，自由地在各个图书馆、博物馆、音乐厅中出入，所有的一切都像真的一样。

正是功能超常的英特尔多能奔腾处理器，结合新研究的教育软件，让孩子获得原来意想不到的全新的享受：能看到新鲜事物，而且一切都好像是真的一样。现在，孩子可以做自己的老师，指导自己的各科学习，例如数学、地理、英语。他们可以按照自己的爱好选择学习新的知识，每一次学习都是新的探险，每一个题目都那么有趣。所以他想多做些家庭作业了。

拥有英特尔多能奔腾处理器的个人电脑，对您孩子未来的成长有很大的好处。想知道更多的有关英特尔多能奔腾处理器的情况吗？欢迎向邻近的英特尔经销商查询。

（根据《羊城晚报》同名文章改写）

判断正误

(　　)1. 这篇文章介绍各种使孩子喜欢做家庭作业的方法。
(　　)2. 这是个人电脑的广告。
(　　)3. 文章中的"您"指的是家长。
(　　)4. 采用英特尔多能奔腾处理器的个人电脑能使孩子的学习变得有趣。
(　　)5. 英特尔多能奔腾处理器是一种教育软件。

生　词

软件　ruǎnjiàn　(名)　software
探险　tànxiǎn　explore　到从来没有人去过或很少有人去的地方考察。
经销商　jīngxiāoshāng　(名)　distributor　经营销售某种产品的商人或公司。
查询　cháxún　(动)　inquire about　调查询问。

阅读 4

记　忆

一朵小茉莉(mòlì,jasmine),
夹在书页里,
我读遍整本书,
试着把你忘记。
那一字一个足迹
一个足迹就有一个你,
花香和书香,
我常不知如何舍取。

一朵小茉莉,
从书页里飘落下来,
像莲花在风中摇曳(yáoyè,sway),
总让人轻轻记忆。
爱情当然美丽,
彼岸更另有天地,
我们都年轻,有一天,
有一天我们会在一起。

(台湾·王娟娟《记忆》)

回答问题

1. 这首诗歌是写什么的?
2. 这是一首悲伤的诗歌吗?

完型填空

粤　语

在中国众多的(1)中，粤语，也就是广东话，是影响较大的一种方言。使用粤语的广东、香港和澳门都是经济发达的地区，(2)，对广东人和香港人、澳门人的羡慕影响了人们对粤语的态度。在北方的舞台上，流行歌手说话都带上了(3)口音，粤语歌曲很受(4)。对粤语的偏爱还(5)在商品的名称上，如电饭锅称为电饭煲，胸罩称为文胸，理发店称为发廊、发屋，出租车称为的士，美丽的(6)称为靓女。这些现象说明了语言的选择与地区经济的发展有很大的关系。

1. A. 语言　B. 方言　C. 口语　D. 讲话
2. A. 因为　B. 但是　C. 这样　D. 于是
3. A. 广东　B. 香港　C. 澳门　D. 南方
4. A. 喜欢　B. 流行　C. 欢迎　D. 羡慕
5. A. 表明　B. 象征　C. 表现　D. 说明
6. A. 女孩　B. 男孩　C. 孩子　D. 人

第三十七课

一、技　能

标志词之二:重复和补充

这类标志词标志着它们前面或后面的内容只是对同一个观点或重要内容的重复、补充或具体说明,并没有新的或重要的信息出现。所以,当我们遇到这类标志词时,我们可以加快阅读的速度,这类标志词包括:(1)表示上下文相同的标志词,如"即"、"换句话说"、"同样的"、"像(与、跟)……一样……"、"也就是说"、"相同的"、"具体地说"等;(2)表示举例子的标志词,如:"例如"、"比如"、"举一个例子"、"如"等;(3)表示比喻的标志词,如"好像"、"打一个比方"、"好比"等。当然,在这里不可能把所有的这一类标志词都列出来,但我们可以把它们作为一个参照,在阅读时注意这类标志词,节省时间。

练习

找出文章中表示重复、补充的标志词

脸部表情在反映一个人的情绪时占很重要的地位,也就是说,脸部表情是显示一个人情绪的主要标志。但是面部表情是可以控制的,如果一个人把脸藏起来,是不是就没有人知道他的内心世界了呢?问题不是这么简单的。人们在努力不使自己的脸上显示出自己的情绪时,他身体的其他部位却会在无意中泄露真实的情况。例如,一个人用微笑去面对一个使他愤怒的人,但他那紧握的拳头、僵硬的身体却明明白白地告诉别人他的真实的情绪。

抚摸自己身体这种"自我接触",在心理学上可以解释为"自我安慰"。换一句话说,就是为了弥补自身的弱点或掩饰某种情绪,人们往往会在不知不觉中做出种种自我接触的动作来。自我接触基本上表现了内心的不安、紧张、恐惧等,也就是说人在精神上受到伤害或产生紧张等情绪时，常常会以种种不自觉的动作，触摸自己的身体，如抚摸、抓、捏等，这与婴儿得到母亲的爱抚而保持平静的情况十分相似。如果一个人不断地把两只手的手指交叉在一起，那就表明他的内心紧张不安。

阅读文章，选择填空

许多人在考虑问题时，往往只从自己的立场出发，而不考虑别人或环境的情况；这(1)我们说的“自我中心”。(2)一个人在开车，他的眼睛只能看到车窗，却不能看到窗前的道路一样，一定会引起事故。

如果一个人只关心自己想什么，完全不注意别人说什么和做什么，就无法理解别人的想法和情绪，更不能跟别人交流。

所以，一个人在与别人相处时，要有一个顾及双方的全面的态度，这与学跳舞有(3)之处。一个人如果只注意到他自己的腿部动作，不注意身体其他部位的动作，其结果也就谈不上学会跳舞。(4)，没有兼顾双方情况，也就谈不上建立人际关系。

舞蹈老师在指导学生学习跳舞时，并不仅仅要求他们留心自己的腿，而是要求他们不断练习相同的动作，直到习惯为止。一位成功的舞蹈家，当他跳舞时，绝不会仅仅注意脚的动作。(5)，心理学家告诉人们要学习把注意力从自己身上移开，并使之成为习惯。

1. A. 不是　　B. 就是　　C. 说明
2. A. 好比　　B. 不像　　C. 相像
3. A. 相反　　B. 相似　　C. 相对
4. A. 同样的　　B. 一样的　　C. 各样的
5. A. 不同的　　B. 相同的　　C. 同类的

（本练习的短文均根据《情感智商》改写）

二、阅读训练

“尘”的故事

“尘”,就是尘土。这个字已经有上千年的历史了。

古人造字表示尘土这种事物时,最早是用三只鹿扬起土来——那就是尘土。“麤”,即三只鹿在土路上飞快地跑着,一定会扬起叫做“尘”的小小的土粒来。那时还没有高速公路,不然,一百只鹿也扬不起那些小小土粒来。这个字,恐怕是我们的祖先在秦朝(Qin Dynasty)时就已经觉得它难写了,后来,聪明人就说:用不着三只鹿,一只鹿在土路上跑也能扬起这么一大把小土粒来。于是,为了方便,人们就把“麤”简化成“塵”了。一只鹿跑了大约一千年,到宋朝(Song Dynasty)时,又有人觉得一只鹿写起来也很不容易,他想,不就是土路上扬起的那些小小土粒吗?干脆写成“尘”算了。这又是一个简化字。这个字很快就在老百姓中流行了。可是学者们认为这个字不文雅,不愿承认它。

直到一千年后的今天,“尘”才成为真正的代表小小土粒的字。人人都喜欢这个字,因为它好认好写。这个字的故事说明了一个道理:汉字一直是在简化着的,不过有时快,有时慢。就好像现在也不断出现新的简化字一样。

(根据尘元《在语词的密林中》改写)

判别对错

(　　)1. 最早,中国人用一只鹿跑在土路上表示尘土。
(　　)2. 宋朝比秦朝晚大约一千年。
(　　)3. 一千年前,是秦朝。
(　　)4.“尘”字很快在学者中间流行。
(　　)5. 作者写文章的时候,汉字简化得很快。
(　　)6. 一千年前,中国人就造了一个表示尘土这种事物的字。
(　　)7.“简化”的意思就是使事物变得简单。
(　　)8. 现在,喜欢“尘”字的人都是没有学问的人。

(　　)9. 作者认为把汉字简化的人是聪明的人。

(　　)10. 古代的道路都是土路。

生　词

高速公路　gāosùgōnglù　(名)　highway

粒　lì　(名)　grain, granule　小圆珠形或小碎块形的东西。

扬起　yángqǐ　raise　往上升。

鹿　lù　(名)　deer

文雅　wényǎ　(形)　refined, cultured　形容举止、言谈很有教养。

阅读 2

我的继父

我十一岁那年,我母亲和来奥结婚了。两年后,我们搬到一个新开发的郊区。起初,我们的房子和别人家的没有什么不同,但不久一切都变了,母亲的花园、来奥的树丛使我们的房屋在这个地区显得那么独一无二。更重要的是,一个真正的家庭在这所房子里悄悄地产生了,来奥成了一个全职的父亲,而我们,则又有了一个父亲。

以后的日子里,只要天气不好,来奥就会开车送我上学。星期六的早上，我们会去商店看看，买一份体育报纸给我哥哥，然后他会买一些东西送给我。晚饭时，我们坐在桌旁，听来奥讲一些工作中的趣事，而我和哥哥则告诉他在学校里的人和事。那时，他总会说："孩子，如果需要帮助就来找我，不过我总怀疑你们是不是会需要帮助，你们是那么聪明！"

一天，有人通知我们，我们的生父——五年多没见过面也没给我们任何帮助的父亲，要求探访哥哥和我。我们清楚地记得跟他一起生活的那些不愉快的日子。因为哥哥已经十七岁了，他可以自己做出决定，而我则不得不去见法官，由他决定要不要跟生父见面。在法庭上，我告诉法官，我已经成为新家庭的一部分：来奥教会我许多事情，帮我做作业，了解我的心事，而且从来不对我发火。我说我不想再见我的生父，因为他从来没有对我付出爱心和应有的关心。

法官看看来奥："你觉得怎样？"来奥说："太好了，我能有这样的家庭，多么幸运啊！"

那天，我生父的要求被法官拒绝了。从此，他从我们的生活中消失了，同时我也知道来奥已经成为我最亲爱的朋友，真正的父亲。

（根据《海外星云》1996 年 32 期文章改写）

选择正确答案

1. 关于一个人的"继父"和"生父"，下面的句子哪个是对的？
   A. 离婚以后的父亲就是生父，结婚以后的父亲就是继父
   B. 他的母亲和他的继父生下了他
   C. 母亲跟生父离婚，和另一个人结婚，这个人就是继父
   D. 对自己不好的父亲就是生父，对自己好的父亲就是继父
2. "独一无二"的同义词是：
   A. 与众不同　　B. 独立　　C. 惟一
3. 文章的主要观点是：
   A. 我的生父使我很不快乐，我的继父使我很快乐
   B. 我的继父是个很好的人，也是我最好的朋友
   C. 对孩子付出爱心和关心的人是真正的父亲
   D. 父母亲的关系好不好对孩子影响很大
4. 从文章中可以看出：

A. 我的生父不能给我们家庭温暖

B. 我的生父还是关心我和我哥哥的

C. 我们的房子比别人的房子更好，更漂亮

D. 我和哥哥很聪明，不需要别人帮助

生　词

树丛　shùcóng　（名）　a clump of trees　生长在一起的树。

全职　quánzhí　（形）　full-time　本职，跟兼职相对。

法官　fǎguān　（名）　judge　法院里审理、判决案件的人。

法庭　fǎtíng　（名）　court　法院审理诉讼案件的地方。

付出　fùchū　（动）　pay　交出（钱、劳动、感情等）。

阅读 3

锻炼眼睛

我们的感觉输入大概有90%以上是来自眼睛。因此我们要锻炼眼睛，使我们能有一个好的视力。

在电脑前连续工作了几小时的人常常说他们看不清东西。"看报运动"能够使你眼里的世界重新清楚起来：找一张报纸钉在距离你的坐位约2.5米的墙上，每过15分钟左右看看这张报纸，先看报纸上的标题，再看看电脑荧光屏，连续做5次。这种锻炼可以使你的眼睛得到放松。

视力好的人不但看得清楚，而且应该比别人看得更快、更多。下面是两个专家提出的速度练习：

第一，保持头部不动，尽可能快地把目光从右边移动到左边，一定要把你的目光集中在每一边的最外侧。这种锻炼能改善你的外围知觉。

第二，努力在10秒钟内扫视房间里的10种不同的物体（这次你可以转动头部），然后说出这些东西的名称和看到它们的先后顺序。这种锻炼可以使你的注意力更灵活。

（根据《海外星云》1996年32期文章改写）

一、以下的锻炼有什么作用，请划线

头不动，目光移动　　　　放松眼睛

看报运动 改善注意力
看房间中的不同东西 锻炼外围知觉

二、选择正确答案

1. 四个词中不同类的是：
   A. 视力　B. 注意力　C. 努力　D. 听力
2. "'看报运动'使你眼里的世界重新清楚起来"的意思是：
   A."看报运动"改变你的生活
   B."看报运动"使你更清楚世界上发生的事情
   C."看报运动"告诉你你不清楚的事情
   D."看报运动"使你原来看不清楚东西的眼睛能够看清楚
3. 短文的作者认为"视力好"就是：
   A. 看得清楚，快而多　B. 看得比别人更多
   C. 看得清楚　D. 没有近视、远视等疾病

生　词

输入　shūrù　（动）　input　从外部到内部。
荧光屏　yíngguāngpíng　（名）　screen
扫视　sǎoshì　（动）　(of one's eyes or glance) sweep　眼睛很快地看。
注意力　zhùyìlì　（名）　attention

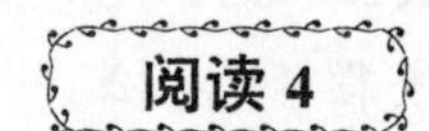

两朵红梅竞艳　六只龙虎争三

——WCBA 即将开赛

实行主客制的首届中国女子篮球俱乐部杯赛（WCBA）将在后天开始比赛。

参加这次比赛的八支球队，到底哪一支球队最强呢？

八一队的主教练朱家志说，由于郑海霞去了美国，李昕、李冬梅和王红三名优秀队员无法参加比赛，八一队的实力已经不如从前。

话虽这么说，但本次比赛最有可能取得最后胜利的仍然是八一队。八一队本来就拥有沈力、项东文、高连环和邵蕊四名国家队队员，又从沈阳军区队调进了前锋邢丽红，加上国家青年队队员张辉、高琳琳、戴

珉，阵容之强大无人能比。朱家志已经带领八一女篮四次夺得全国联赛的冠军、几次国内锦标赛的冠军。由于这次球队以新队员为主，他将在打法上做一些调整。

能与八一队争天下的是辽宁女篮。辽宁队多年来一直是联赛的前三名之一。其中王芳、孙英等老队员均参加过奥运会和世界锦标赛，经验丰富。蒋旭、刘月秀等人虽然年轻，但却是国家队队员。新老结合，攻守全面是辽宁队的特点。

除了上面的两支队伍，其他六支球队拿冠军的可能性很小。北京、上海、中国联航女篮和火车头女篮都很有可能是这次比赛的"老三"。

（根据《羊城晚报》文章改写）

一、选择正确答案

1. 根据文章，这次比赛的结果前三名最可能是：
   A. 辽宁队、八一队、北京队　　B. 北京队、上海队、火车头队
   C. 国家队、八一队、辽宁队　　D. 八一队、辽宁队、上海队
2. WCBA是第几次举行？
   A. 第一次　B. 第二次　C. 最后一次　D. 文章中没有说
3. "新老结合，攻守全面"的意思是：
   A. 把新的和旧的，进攻的和防守的方法结合起来使用
   B. 让新队员和老队员一起比赛，对进攻和防守一样重视
   C. 新队员和老队员，防守队员和进攻队员在一起比赛
4. 八一队在这次比赛中将会怎么样？
   A. 只有新队员参加，所以打比赛的方法完全不同了
   B. 虽然有许多新队员，但打比赛的方法跟从前一样
   C. 参加比赛的主要是新队员，所以打比赛的方法跟从前不一样了
   D. 主要的队员都不能参加比赛，所以打比赛的方法跟从前不一样了

二、请解释一下"两朵红梅竞艳　六只龙虎争三"的大概意思

生　词

教练　jiàoliàn　（名）　coach　训练别人掌握某种技术或动作的人。
实力　shílì　（名）　strength　实在的力量（多指经济、军事、体育方面的力量）。

第三十八课

一、技　　能

标志词之三：顺序与分类

这一类标志词帮助读者区分不同的观点，支持同一观点的各类材料或者是事件发展的步骤：时间先后，或由易到难等等。在这类标志词的“指导”下，读者能够迅速地对文章的层次和结构有一个较清晰的了解，从而加快对主要观点的掌握。

这类标志词有：“首先”、“其次”、“再次”、“最后”；“第一”、“第二”、“第三”……；“开始”、“接着”、“然后”、“此外”；“……以前”、“……以后”、“……时(候)”、“同时”等。有的分类是直接用数字或字母来进行的，有的表示时间顺序的方式是直接使用年、月、日、时来标识，还有的是一系列结构相同的词组，读者在阅读时要注意。

练习

略读以下文章，把表示顺序和分类的标志词或词组划出来

根据对民间传说的实际情况的了解，我们可以这样说：所谓传说，就是描述某个历史人物或历史事件、解释某种风物或习俗的口述传奇作品。

这个定义从三个方面规定了民间传说的性质。从文体性质上来说，民间传说必须是一种散文体的口述作品。首先是散文体，其次是口述体，也就是说它是说出来的，而不是唱出来的，即使对它加以笔录，甚至加工整理，也很难根本取消或改变它的口头创作的特色。

从艺术表现上来说，民间传说要有一定的传奇性。它的情节往往有着离奇、巧合甚至超自然的因素。

从内容上来说，它与两个方面有关系：一是常常与历史上的真人真事有关。比如“画龙点睛”这个传说，虽然有夸张、虚构的传奇色彩，但是

主人公张僧繇却是一个真实的历史人物，而且确实是南朝梁代最著名的画家。民间传说对于历史人物或事件主要是描述性的。二是民间传说的内容常常与地方风物与民间习俗有关。这种关系不是对这些民间习俗、风物的描述，而是表现为用传说来解释风物和习俗的成因和流变。

（根据程蔷《中国民间的传说》改写）

以下是对上文的结构分析，按照原文填空

民间传说的定义：
(1) 从文体上来说：首先是(　　　　)；其次是(　　　　)。
(2) 从艺术表现上来说：一定要有(　　　　)。
(3) 从内容上来说：一是与(　　　　)有关；二是与(　　　　)有关。

略读以下段落，找出表示顺序—分类的标志词

雪花白菊

原料：白菊花瓣125克，清油1500克（约耗75克），白糖75克，富强粉75克。

制法：先把菊花洗干净，均匀地粘上面粉，用大火坐油，油到五成热时，放入菊花花瓣炸，然后把炸脆的花瓣捞到盘子里，洒上白糖即可。

操作关键：第一，粘面要均匀、合适，不能太多；第二，油的温度要掌握好。

特点：色白如雪，甜脆香嫩，菊花香味浓郁。

二、阅读训练

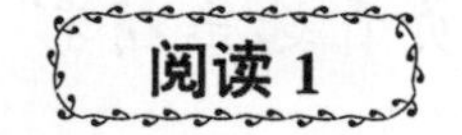

天下美差知多少

看看下面的人可以找什么工作

1. 喜欢到别人没去过的地方旅行的人。(　　　　)

2. 喜欢吃各种美食的人。(　　　)
3. 喜欢看电视体育节目的人。(　　　)
4. 喜欢大海又不喜欢跟别人在一起的人。(　　　)
5. 喜欢开快车的人。(　　　)

工作辛苦？看来不一定。例如有种工作是付钱让你睡觉，这就是典型的美差。这种美差叫做“专业梦者”，研究人员希望在睡觉的方法和梦之间找出联系，于是付钱让人睡觉做梦，好让他们慢慢观察研究。此外，还有不少美差：

试防晒油：只需要涂上防晒油，躺在海边的阳光下，不时按规定动作翻身，好让阳光晒得均匀，然后就有人付钱给你。

品尝雪糕：每年要品尝数以百计加仑的雪糕，对各种味道细加描述。

试玩具：一天八个小时玩玩具，看哪一种玩具最得孩子欢心。

游戏机专家：受雇大玩特玩电脑游戏的新产品，然后接听并解答消费者的咨询。

游记撰稿者：有人给你钱让你到处旅行，找出世界上最不为人知的胜地，写出冒险式的游记。

灯塔管理员：如果你喜欢平静、安宁、毫无压力的工作环境，与大海为伴，这工作是最佳选择。

法拉力试车人：你可以在意大利名胜郊区，驾驶着世界上数一数二的名贵跑车，以最高速度行驶。

美食品尝：你操纵着五星级酒店餐厅的食物质量，各种各样的美食均须经过你的品尝，消费者才能享用。

邮轮伴舞：你可以乘坐豪华大邮轮在大海上游历，惟一的任务是与单身人士交际。

电视体育节目筛选：连续几小时看体育节目录像带，负责选出精彩部分。

（根据《海外星云》1996 年 35 期文章改写）

阅读 2

“老房子着火”

忘了到底是谁，把老男人堕入情网形容为“老房子着火”，真是十分的形象。

前日去表妹家玩，表妹说起他们单位有位老先生很有趣。刚刚到他们单位时，他的太太常常跟人跳舞，不知怎么搞的，就跟另一个男人好了，于是就离了婚。老先生没了老婆，情绪十分低落，见了我表妹和表妹夫一起去跳舞，就将表妹夫拉到一边，说你千万不要让你爱人和别的男人跳舞啊，要跳出乱子的呢！

不过即使再多的悲伤，也很快被时间冲淡了。老先生一个人住在一套大房子里，钱挣得不少，本人也有相当的文化，自然有好些女孩子上门做追求者。

老先生开始面有喜色，一段时间换一个女朋友，有一次还有一位女士，把整套厨房用具搬到老先生家，要和他一起生活，后来女士走了，厨具却留了下来。别人都说，是老先生的第二个春天又来了。老先生连上楼下楼都唱起歌来，有一回表妹笑他：“你是老房子着火啊，小心烧得光光的呢！”老先生很不服气地说：“老？我才五十岁，人生的黄金时代才真正开始哩！”

我说，大概是老先生烧了老房子，又造了新房子。

（根据黄茵《咸淡人生》改写）

选择正确答案

1. “堕入情网”的意思是：
   A. 被人抓住了　　B. 摔进一个网里　　C. 爱上了别人　　D. 房子着火了
2. 情绪“低落”是说：
   A. 情绪有问题　　B. 情绪很不好　　C. 情绪往下走　　D. 情绪一般
3. “即使再多的悲伤，也很快被时间冲淡了”的意思是：
   A. 时间会很快使人们忘记悲伤　　B. 时间不会使人们忘记悲伤
   C. 时间会让人们慢慢忘记悲伤　　D. 时间会使人们感到悲伤
4. 老先生觉得自己老吗？

A. 老　　B. 不老　　C. 他也不知道

5. 作者对老先生的态度是：

A. 批评，因为他总是换女朋友　　B. 嘲笑，因为他人老了，还谈恋爱

C. 担心，怕他又受到伤害　　D. 为他高兴，因为他又开始了新生活

生　词

着火　zháohuǒ　catch fire　发生火灾，又叫“失火”。

表妹　biǎomèi　（名）　母亲的兄弟姐妹或父亲姐妹的女儿。

出乱子　chūluànzi　cause trouble　弄出麻烦。

阅读 3

电脑网络中毒症

有人说，电脑网络已经为现代人掀起一场信息革命。在未来社会，不懂得使用网络的人，将成为21世纪的文盲。

不过，随着网络越来越普及，也开始出现了一种新的病——网络中毒症。据说，得了这种病的人，整天不吃不喝，工作、学习时，不能集中注意力，从早到晚只是盯着电脑。

在美国、日本等地，许多网友迷上了网络，到了无法自拔的地步。例如，学生不去上课，上班的人旷工，还有的家庭主妇因此和丈夫闹离婚。

首先发现这种病并且给它命名的是美国纽约的一位精神病理学专家。他在为一名病人做诊断时发现，病人因为整天沉迷在网络中，使得他公司的生意越来越差。由于网络里有无限的空间可供人们“游荡”，还有许多新鲜刺激的游戏让人着迷，因此，许多人上网和从没见过面的网友聊天，或者从事幻想性的冒险活动。其中有一位妇女，就是因为在网络上找到一个男朋友而离开了丈夫。

目前，在电脑使用者中，得了“网络中毒症”的人大约占2%～3%左右。

（根据《海外星云》1996年30期文章改写）

一、以下哪些是“网络中毒症”的症状

1. 和丈夫或妻子离婚　2. 不去上班　3. 不学习　4. 与朋友聊天
5. 冒险旅行　6. 不吃饭　7. 长时间盯着电脑不愿离开
8. 做其他事情时不能集中注意力　9. 身体越来越差　10. 精神上出现问题

二、选择正确答案

1. 为什么人们那么喜欢网络？
A. 因为网络里有无限的空间供人走来走去
B. 因为网络里有许多新鲜好玩的游戏
C. 因为人们可以通过网络和别人聊天
D. B和C

2. 下面哪一个说法是短文中没有的？
A. 许多网友迷上了网络　B. 网络把人们都迷住了
C. 病人整天沉迷在网络中　D. 新鲜刺激的游戏让人着迷

3. 短文的主要观点是：
A. 网络虽然有很多优点，但是也有缺点
B. 现在出现了一种“网络中毒症”
C. 网络越来越普及，问题也越来越多
D.“网络中毒症”是一种很可怕的病

生　词

电脑网络　diànnǎowǎngluò　（名）　internet
普及　pǔjí　（动）　spread　普遍地传到。
着迷　zháomí　be fascinated, be captivated　对人或事物产生难以放弃的爱好。
无法自拔　wúfǎzìbá　can not free oneself　不能主动地解脱出来。
冒险　màoxiǎn　take a risk　不顾危险地进行某种活动。

风　水

什么是风水？风水是人们在兴土动工，比如建房子、建桥、修坟墓时对地理环境的一种特殊的选择方法与认识系统。风水包括以下具体内涵：

首先，风水是选择环境的一种技术。这种技术本来是有实用性的，是古人总结出来的适应环境的经验。风水起源于古代人选择住处的需要，而生活在不同环境的人对居处的选择标准会有所不同，后来，在哲学、宗教思想的影响下，慢慢加入了许多迷信的东西。

其次，风水又是一种文化观念。最初的风水是一种简单的适应环境的技术，后来，这种技术被认为具有影响人们以及后代命运的力量，因此，使用这种技术的人们就建立了一套解释系统，这个系统包括人类起源理论、死亡理论、祖先崇拜等东西，风水作为一种文化观念及理论形态，就这样形成了。

再次，风水也是中国古代地理选址与建筑布局的艺术。因此，无论风水对选择建筑地点和建筑方式有多少神秘或迷信的解释，实际上，按照风水要求建造的建筑常常非常高大、美观。我们只要参观一下保存下来的古代宫殿和陵园，就很容易感受到这一点。

（根据刘晓明《风水与中国社会》改写）

一、用三个词或词组说明什么是风水

二、划出文中表示顺序和分类的标志词

生　词

内涵　nèihán　（名）　intension,connotation　概念的内容。

起源　qǐyuán　（名、动）　origin,originate　事物发生的根源,开始发生。

迷信　míxìn　（名、动）　supersitition,have a blind faith in　信仰神仙鬼怪等,泛指盲目的信仰崇拜。

观念　guānniàn　（名）　idea;concept　思想,意识。

完型填空

离婚率的增加

看起来,离婚数字的增加似乎表明婚姻制度的失败,其实(1)。人们肯依照法律去办理离婚手续,一方面说明他们对婚姻本身的不满意,但也说明他们对婚姻制度的尊重,(2)他们没有必要离婚,就(3)一个想放假的学生肯去请假而不旷课一样。其实,(4)资料显示,大部分离婚的人,都是婚姻制度的支持者,(5)他们都会再婚。在美国,再婚率随着离婚率增加了一倍。在香港,情况也很相似,而且他们再婚的时间与离婚的(6)相差不远,可见他们大部分仍是婚姻制度的支持者。

1. A. 不可能　B. 就是这样　C. 不一定　D. 肯定
2. A. 然后　B. 虽然　C. 然而　D. 不然
3. A. 比如　B. 如果　C. 好比　D. 比较
4. A. 根据　B. 虽然　C. 据说　D. 但是
5. A. 所以　B. 因为　C. 说明　D. 显示
6. A. 地点　B. 比率　C. 时间　D. 时候

第三十九课

一、技　　能

标志词之四:原因与来源依据

这类的标志词指示出段落中某些观点或内容的原因和来历。表示原因的标志词通常就是表示因果关系的关联词,但在文章段落中出现的,作为标志词的关联词不但连接分句,而且连接不同的句子,甚至是段落。跟复句的情况一样,段落和文章中有些原因和结果之间没有出现明显的标志词,遇到这样的情况,阅读时要特别注意。表示来源根据的标志词不多,比较容易被辨认出来。

表示原因的标志词有:"因为……(所以)……"、"因此"、"由于……"、"……原因是(有)"、"之所以……,是由于……"、"……故(此)……,……的缘故"、"以致"、"致使",等等。表示来源依据的标志词有:"据"、"根据"、"正如……所说的"、"前面已经提到……",等等。

练习

在段落中找出表示原因和来源依据的标志词并讨论它指示的原因和结果

在赵树理有关婚姻家庭问题的作品中,我们不难发现作者有意或无意地回避了男性和女性之间的矛盾,这不仅使他的作品简单化,更重要的是反映了作者没有认识到父系文化对妇女的压迫。

在男性中心社会,女性只能生活在家庭这个小小的范围里,没有向外发展的机会,所以出现了很多问题,例如婆婆和媳妇的矛盾,常常是由于两代女性在争取生存空间和依靠时产生的,而作为她们生活中心的同一个男人(婆婆的儿子,媳妇的丈夫)可能是引起矛盾和解决矛盾的关键人物。所以,在写婆婆和媳妇的同时,还要写与她们有关的男性,这样,读者才能掌握问题的关键。赵树理却没有这样写作。在他的反映婆婆和媳妇的矛盾的作品中，是没有这些男性的。

而另一方面，在他的作品中，媳妇们最后之所以能战胜婆婆，是由于得到另外一些代表了政治力量的男人的帮助和支持。从这个方面看，他的作品中又是有男性的，而且是非常有力量的男性，他们可以进入任何家庭，解决任何矛盾，解放任何妇女。

前面已经提到，赵树理强调政治力量是有根据的。然而，妇女解放的另外一个重要因素——女性意识的觉醒，却没有得到他的注意，故此，赵树理笔下的妇女是苍白无力的，读者无法感受到她们的悲伤和欢乐。

（根据陈顺馨《中国当代文学的叙事与性别》改写）

找出指示原因的标志词

引起痛苦的原因还有心理上的分离。心理上的分离有很多种不同的表现方式。有的人在人群中生活，但他不能同其他人进行交往，常常感到孤独，比其他人更痛苦；有时人们不能向别人讲述自己的感受，无法辨认和表达自己的情绪，因而得不到别人的理解和同情，也会产生内心的痛苦。尤其是在感到被人抛弃，被亲人或集体拒绝时，人们所感受到的痛苦是最深的。这类心理上的分离是在交往双方对对方的需要有所不同时，或在感到对对方有所要求而不能得到回答时发生的。因此可以说，心理上的分离所引起的痛苦是一个人的某种需要不能得到满足的结果。

（根据《情感智商》改写）

二、阅读训练

生或者死

有两个女人，都很年轻，都得了癌症。一个女人很可怜，她的丈夫知道她得了癌症之后，就跟她离婚了，还带走了她惟一的儿子。另一个女人却幸运得多，她的丈夫常去看她，给她带去各种营养品和食物，她也有一个很小的孩子，有时，丈夫也会把孩子带去看她，一家人很高兴。

得癌症的人要做化疗，要掉很多头发。可怜的女人头发掉得很多很难看，但每一次化疗，她都非常准时，治疗的任何一个程序，她都非常认真地完成。而那个幸运的女人却显得满不在乎，医生告诉她说：不好好治疗会死的。可是她说："我这病治不好的，我活不了很久。"说话的时候，她也不悲伤。

结果，那个可怜的女人活了下来，出院了；而那个幸运的女人却死了，死的时候，她头上的头发还很浓密。

这不是很奇怪吗？幸运的女人怎么会不想活下去呢？另一个失去了丈夫和孩子的女人反而坚持了下来。这种事情，肯定是要活的那个就活下来。也许，那个可怜的女人想：我已经失去了丈夫，又失去了孩子，我不能够再失去我的生命。

（根据黄茵《闲着也是闲着》改写）

简单写出两个女人相同和不同的地方

相同点：	不同点：
1. 年纪	1. 婚姻
2. 身体	2. 孩子
3. 婚姻	3. 对治疗的态度
4. 孩子	4. 头发
	5. 结果

生　词

化疗　huàliáo　（名）　chemotherapy　化学治疗法。
满不在乎　mǎnbùzàihu　not worry at all, give no heed　一点也不担心，不在意。
浓密　nóngmì　（形）　dense, thick　黑而密。

阅读 2

纳粹集中营里的食谱

1969 年某天，住在纽约的老妇人安妮终于收到了她母亲米娜·派契特留给她的一个包裹。二十五年前，米娜不幸死于纳粹(Nazi)的特利辛集中营(Concentration Camp)。安妮打开了母亲留下的包裹，但她不

忍心细看，她保存了将近十年才再拿出来仔细看。里面有一些母亲写的信和诗，还有一本破旧的、用针线缝起来的手写的书。这是一本食谱，每一页都记录了一道菜或点心的做法，总共八十二页，是米娜和集中营里的女伴们合写的。

现在这本食谱已出版，书名为《纪念厨房：特利辛集中营妇女的遗作》。当然，这本书绝不是一本普通的、教人做卷饼和蛋糕的教材。

这群妇女在被抓进集中营之前，烹饪是她们最拿手的技艺，她们对家庭的爱让她们日复一日地煮饭、烧菜和尝味……她们的手艺越来越精，做出来的食品美味无比。在她们写这本食谱的时候，笔下的美食只是幻想。但是她们把它写下来，表示她们对世界的未来仍抱有希望，相信她们的儿女能拿到这些食谱，做出同样美味的食物。她们为这本食谱取了一个简单的名字——《厨房》，表明她们对纳粹主义最有力的抗议。

《纪念厨房》的编辑卡拉德西瓦女士在书的前言中写道：特利辛集中营的妇女不是惟一在集中营里收集食谱的"犯人"。虽然集中营里每天吃土豆皮，但"犯人"们还是互相交换她们拿手的、喜爱的食谱。这群集中营里的"厨师"找不到足够的纸，就把食谱写在纳粹的宣传材料上。在希特勒肖像四周的空白部分，写满了肉卷和蔬菜的做法。

米娜1942年被送进集中营时已经七十岁了。进营的前三年，女儿安妮求她与自己一起逃走，但是米娜拒绝了，她不相信纳粹会为难一个老太太。

（根据《海外星云》1996年30期文章改写）

选择正确答案

1. 安妮的母亲是什么时候去世的？

   A. 1969年　B. 1944年　C. 1925年　D. 1979年

2. 米娜留下来的书是：

   A. 手写的　B. 用胶水粘起来的　C. 用针线装订的　D. A和C

3. 为什么说这本食谱不普通？

   A. 文章里没说　B. 文章的第三段说明了

   C. 因为它是手写的　D. 其他

4. “日复一日”的意思是：

   A. 一天又一天　B. 每天　C. 很多日子　D. 每天都是一样的

5. 米娜没有逃走是因为：

   A. 她不相信安娜　B. 她觉得逃跑对于一个老人来说太困难了

   C. 她认为纳粹不会找一个老人的麻烦　D. 她相信纳粹

6. 这篇文章的主词是：

   A. 食谱　B. 纳粹集中营　C. 米娜　D. 厨房

生　词

食谱　shípǔ　（名）　recipes　介绍菜的制作方法的书。
忍心　rěnxīn　（动）　be hardhearted enough to　能硬着心肠(做不忍做的事)。
遗作　yízuò　（名）　posthumous work　死去的人留下的作品。
抗议　kàngyì　（动、名）　protest　对人、团体或国家的言论、行为等表示强烈的反对。
犯人　fànrén　（名）　prisoner　因为犯了罪而被关起来的人。
宣传　xuānchuán　（动）　propaganda　讲解说明，使别人相信并且跟着行动。
为难　wéinán　（动）　embarrass s. b.　跟人作对，使人感到难过。

阅读3

两只鼻孔

人们在正常呼吸时，并不是同时使用两只鼻孔的，而是轮流地使用，就是说用完一个再用一个。这在医学上叫"鼻循环"。鼻循环的周期为2.5～4小时，而且年纪越大，周期越长，有的人8个小时才完成一次循环，即8小时以后，才再次使用同一个鼻孔。左右鼻孔的呼吸对人的身体的影响不同。用右鼻孔呼吸时，大脑容易兴奋，神经比较紧张，因此，当人们要进行紧张的工作时，往往用右鼻孔呼吸；而左鼻孔则相反，在轻松、安静的时候，常用左鼻孔呼吸。

目前，科学家正在研究如何把左右鼻孔呼吸的不同作用使用于医疗上。

（根据《读者》精华本第3卷文章改写）

选择正确答案

1. "鼻循环的周期"是指：
   A. 用左鼻孔呼吸的时间　　B. 用右鼻孔呼吸的时间
   C. 上一次和下一次使用左鼻孔呼吸之间的时间
2. 人兴奋时，常常使用：
   A. 左鼻孔呼吸　　B. 右鼻孔呼吸　　C. 两只鼻孔同时呼吸
3. 一个人睡觉的时候，可能常常用：
   A. 左鼻孔呼吸　　B. 右鼻孔呼吸　　C. 两只鼻孔同时呼吸

生　词

鼻孔　bíkǒng　nostril
循环　xúnhuán　（名、动）　cycle　事物从开始到结束，又从结束到开始地不停变化和运动。

完型填空

幽默两则

查理到电影院看电影。电影开始不久，（　　）在他旁边的小偷把手伸进了他的口袋，他马上发现了："你干什么？"那个（　　）说："对不起，我想拿自己的手绢，可是我的手伸错了（　　）。"

查理回答："没关系。"

（　　）了一会儿，"啪"的一声，小偷被重重地打了一巴掌。

“对不起，我想打我脸上的蚊子，(　　)我的手打错了脸。”查理说。

一百年前，一个长得非常(　　)的姑娘问一个(　　)：“听说，人都是猴子变的，难道我也是猴子(　　)吗？”

科学家说：“是的，(　　)，你不是一般的猴子变的，你是一只很美丽的猴子变的。”

第四十课

单元复习

阅读 1

1972 年 5 月 11 日，英国高等法院再次表明：在伦敦的所有外国大使馆都是建筑在英国领土上的。当时做这个重申是为了判决一起离婚案。一个居住在伦敦的埃及人为了跟他的英国妻子离婚，到埃及在伦敦的大使馆里连说了三声“我要与妻子离婚”。按照埃及法律，离婚已经合法了，但他的妻子告到了英国法庭，法庭判决这次离婚无效，因为埃及使馆仍然在英国领土上。

选择正确答案

1. 为什么在伦敦的埃及人要到埃及大使馆说那句话？

   A. 因为他认为自己是埃及人　　B. 因为他知道他的妻子不会同意

   C. 短文里没有指出　　D. 因为他以为埃及使馆是埃及的领土

2. “在伦敦的所有外国大使馆都是建筑在英国领土上的”这个原则是什么时候开始实行的？

   A. 1972 年 5 月 11 日　　B. 1972 年 5 月 11 日之前

   C. 1972 年 5 月 11 日之后　　D. 短文没有提及

3. 短文中有几个表示原因的标志词？

   A. 一个　　B. 二个　　C. 三个　　D. 没有

生　词

判决　pànjué　（动）　judgment　法庭的决定。

重申　chóngshēn　（动）　restate　再次声明。

阅读 2

鸟类睡觉时总是把头向后转，并把嘴巴藏在翅膀中，但是从来不会把头埋进去。它们睡觉时，每隔一段时间就会睁一下眼，看看周围是否有危险，但这样睁眼并不影响鸟类的睡眠效果。

选择正确答案

1. 鸟类睡觉时，会把什么埋进翅膀中？
   A. 头　B. 眼睛　C. 嘴巴　D. A和C
2. 这段短文介绍的主要内容是：
   A. 因为鸟类睡觉时一直睁着眼睛，所以睡不好
   B. 鸟类睡觉时的习惯
   C. 鸟类睡觉时头部的位置
   D. 虽然鸟类睡觉时过一段时间就要睁眼睛，但是还是睡得很好

阅读 3

一般来说，一个人只能说出几种普通气味，但实际上人可以分辨出许多气味，只是难以用语言表达。如果事先知道气味的名称，那么一个人可以辨别八十多种气味。要是适当地给各种气味标上号码，就能辨别数百种气味。换句话说，鼻子"知道"的远比我们认识的多。

在察觉有没有气味上，女人的鼻子并不比男人的灵敏；但她们分辨不同气味的能力和对气味环境的意识确实要强一些。

选择正确答案

1. 为什么我们只能说出几种气味的名字？
   A. 因为我们不知道其他气味的名称　B. 因为我们闻不出来
   C. 因为我们分辨不出来　D. 因为气味的号码太少了
2. 如果把气味标上号码，我们能闻出多少种不同的气味？
   A. 几种　B. 八十多种　C. 几百种　D. 不知道
3. 第二段的主要观点是：
   A. 女人的鼻子比男人的灵敏　B. 女人的鼻子在某些方面比男人灵敏

C. 女人的鼻子并不比男人灵敏　　D. 女人的鼻子比男人的鼻子功能多

4. 在第一段的第几句有一个表示重复一补充的标志词？

A. 第一句　B. 第二句　C. 第三句　D. 第四句

生　词

灵敏　língmǐn　（形）　sensitive, acute　反应快；对微小的刺激反应快。

阅读 4

从前的北京人习惯把已经出嫁的女儿称为"姑奶奶"。正月期间，"姑奶奶"是不能住在娘家的，初六到娘家拜了年也必须当天赶回婆家。尤其是新婚，正月里不能叫丈夫一个人过夜。但是二月初二，娘家的人就来接他们家的女儿(即"姑奶奶")回家，住十天二十天。所以有一句老话说："二月二，接宝贝，接不来，掉眼泪儿。"因为接不来，就可能是女儿在丈夫家出了什么事情，娘家的长辈一定要亲自到婆家询问。

选择正确答案

1. "正月"是几月份？

A. 十二月　B. 一月　C. 二月　D. 三月

2. 结婚后的妇女把丈夫家叫什么？

A. 婆家　B. 娘家　C. 自己家　D. 他家

生　词

娘家　niángjia　（名）　a married woman's parents' home　已婚妇女自己父母的家。

阅读 5

到现在为止，人类所知道的第一把小提琴是公元前 3000～4000 年间由印度人做的。它由一块椰子壳做成，绷着两根弦，用琴弓一拉，便发出好听的声音。

人类经过不断的观察得出结论，自然界的声音都有音乐性，并且能用音乐把它们记录下来。过去人类经常记录的是鸟的叫声，但瀑布的声音都是C大调的三和弦，以不和谐的F低音为基调。贝多芬在他那有名的描绘大自然的《田园交响曲》中，就运用了这种乐调。据说，是一条流水淙淙的小溪使贝多芬写下了这样的调子。从此，这种乐调就成了音乐中专门用来描绘大自然的乐调了。

1924年，小提琴手贾斯帕在美国演奏，奏出的音乐把身边放着的所有玻璃器具都震成了碎片。他整整练了五年，才取得这一次的成功。

1929年，霍尔洛厄地区的一户农民家老鼠盛行。一到晚上，老鼠就在房间里跑来跑去，害得一家人都睡不着觉，老鼠还吃掉了许多食品和饲料。这时，他们想起了一个老鼠怕音乐的古老传说。于是，一名会拉手风琴的老人就在晚上拉了半小时手风琴。奇迹出现了，所有的老鼠都逃走了。这次"音乐会"是在夏天举行的，但一直到冬天，老鼠也没再来。

选择正确答案

1. 如果第一把小提琴还在，它已经有多少年历史了？

   A. 三四千年　B. 七千年　C. 五六千年　D. 一万年

2. 早期的人类可能从哪里学习音乐？

   A. 贝多芬那里　B. 从大自然的声音中

   C. 从瀑布和小河的声音中　D. 短文没有提及

3. 贝多芬是什么人?

A. 记录声音的人　　　B. 观察大自然的科学家

C. 一个喜欢音乐的人　D. 一个有名的作曲家

4. 贾斯帕练了五年是为了:

A. 去美国演奏　　　B. 办一个成功的音乐会

C. 演奏最好的音乐　D. 满足他对音乐的爱好

生　词

弦　xián　(名)　string　乐器上发声的线。

弓　gōng　(名)　bow　拉提琴的人右手拿的物体。

和弦　héxián　(名)　chord

阅读 6

母亲一生都在乡下,没有文化,不会说话。她不知道我在城里干什么,只知道我能写字,她说我写字的时候眼睛在不停地眨,就觉得我辛苦:"世上的字能写完?"于是就一次一次地阻止我。前些年,母亲每次到城里小住,总是为我和孩子缝制过冬的衣服,棉花塞得极厚,总怕我们冻着,结果使我和孩子都穿得像狗熊一样笨拙。她过不惯城里的生活,嫌吃油太多,来人太多,客厅的灯不灭,东西一旧就扔。最不能忍受我打骂孩子,孩子不哭,她却哭,和我闹一场后就生气回乡下去,母亲每次高高兴兴来,但每一次都生了气回去。

母亲姓周,这是在一次偶然的机会知道的。十二岁那年,一次与同村的孩子骂仗——乡下骂仗以高声大叫对方父母名字最为解气。她父亲叫鱼,我骂她:鱼,鱼,河里的鱼!她骂我:娥,娥,小小的娥!我清楚了母亲是叫周小娥。大人物之所以是大人物,是因为他们的名字被千万人呼喊过。母亲的名字我至今没有叫过,似乎也很少听见老家村子里的人叫过。母亲不是大人物却并不失其伟大,她的老实、本分、善良、勤劳在家乡受到所有人的称赞。现在有人嘲笑我是农民的儿子,我并不觉得羞耻,我就是农民的儿子。

选择正确答案

1. 母亲"不会说话"是什么意思？
   A. 母亲是哑巴　　　B. 母亲是乡下人，不会说城里的话
   C. 母亲是个安静的人，不善于说话　　D. 母亲没有学会说话
2. 母亲为什么不让我"写字"？
   A. 她认为字是写不完的　　B. 她觉得我写字写得太辛苦
   C. 因为她不会写字　　D. 她不喜欢看见我写字
3. 文章的主要观点是：
   A. 母亲和我合不来　　B. 我爱我的母亲
   C. 母亲是个普通而伟大的农民　　D. B和C
4. 我怎么知道母亲的名字？
   A. 舅舅告诉我的　　B. 母亲告诉我的
   C. 没有人不知道自己母亲的名字　　D. 跟同村的孩子吵架时知道的
5. 关于母亲，下面哪种说法不对？
   A. 母亲是一个老实、勤劳的人　　B. 母亲非常爱孩子
   C. 母亲是个严格的人，常常教训我　　D. 母亲和我有矛盾

生　词

眨　zhǎ　（动）　blink；wink　（眼睛）闭上马上又睁开。
大人物　dàrénwù　（名）　VIP　重要的人物。

完型填空 1

假设你参加一个有23人出席的聚会，有多大可能其中有两个人是同月同日(1)的？也许，你觉得这种可能性很小。(2)，在23人中，有两个人生日相同和这些人生日全都不同这两种可能性是基本一样的。

人(3)多，生日相同的可能性就越大。(4)是30个人，这种可能性就大于70%。如果是50个人，可能性就大于97%！(5)以后在有23人或更多人的场合，你自己也可以试一试。

1. A. 生日　　B. 出生　　C. 参加　　D. 出席
2. A. 事实上　　B. 其实是　　C. 事实　　D. 其实上

3. A. 太　　B. 很　　C. 越　　D. 更
4. A. 假设　　B. 可是　　C. 因为　　D. 如果
5. A. 从此　　B. 可以　　C. 也许　　D. 所以

完型填空 2

他有一位朋友在车祸中受了重伤，他去看这位朋友，(1)听见他临死前的最后一句话："告诉梅芳，我爱她。"说完，朋友就死去了。

他不知道梅芳是谁，也不知道去哪里找她。两年后，他在一个聚会上认识了梅芳，那时梅芳还在为死去的朋友伤心，他想对她说起朋友的临终遗言，(2)又怕增加她的伤心。终于把话吞了(3)。

十年后，他(4)遇见了梅芳，她已经是两个孩子的母亲了，他终于说出了朋友最后的遗言。梅芳轻轻叹了(5)气，微笑了。这时，他才忽然想起，这句话在他心里已经放了整整十二年。

1. A. 但是　　B. 正好　　C. 没有　　D. 可能
2. A. 却　　B. 很　　D. 有点　　D. 也许
3. A. 出去　　B. 出来　　C. 回去　　D. 回来
4. A. 再　　B. 又　　C. 却　　D. 能
5. A. 一次　　B. 一下　　C. 一口　　D. 一叹

(本复习所有文章段落均节选并改写自《读者》精华本)

第四十一课

一、技　　能

标志词之五：转折—对比（比较）

这类标志词指示出文章段落的观点和内容将有方向性的转变：相反的、不同的观点和内容将要出现。当读者遇到这类标志词时，就要特别注意了，因为以前你从文段中接受的观点和内容将要有一个很大的变化。而那些变化了的观点和内容可能才是作者真正的主要观点，是作者想要表述的重要内容；当然实际情况也可能正好相反。

这类标志词帮助读者把相反的、不同的观点与内容明白地区分开来。在它们的指示下，读者能够比较容易地追随作者思路的转变和内容的变化。

表示转折的标志词有："但（是）"、"可是"、"不过"、"而"、"然而"、"只是"、"却"、"虽然……但是……"、"除非"、"否则"等等。表示对比的标志词有："另一方面"、"（与此）相反"、"表面上……其实……"、"反过来"、"反面"、"相对来说"等等。

练习

找出表示转折—对比的标志词

1. 中国古代的文化制度曾经对亚洲的一些国家产生较大的影响，如历史上的日本、高丽、越南等国家；然而，近代的中国，却是受西方社会制度影响较多的国家之一。

2. 有些语言学家认为，成语在句子中的作用相当于一个词。若从语法角度来看，有一定的道理；但若从词义的角度看，一个成语的语义容量远比一个词要丰富得多。

3. 古代的中国人相信：人的姓名如果与不吉利的词语发音相似，

就会因此招来灾祸。清朝有一个人名叫范鸣琼，他参加朝廷举办的最高级的考试，得了第十名。可是，用当时的普通话读他的名字，听起来很像"万民穷"。所以，当官员们向皇帝报告考试情况时，皇帝听到他的名字很不高兴，就把他除了名。

相反，如果一个人的名字与吉利的词语发音相似，却有可能因此得到好运。例如，清朝有一个人叫王寿彭，就因为他的好名字得到皇帝的喜爱而当了大官。

皇帝们常常比一般的人更讲究名字的好坏。一方面是他们更讲究遵循传统；另一方面是他们有意利用这一传统，来强化对人民的控制。

填标志词

中国民间信仰与道教、佛教保持着某种联系，(　　)绝没有向这些宗教发展的可能。中国民间信仰，将永远是"过去式"的古老信仰的遗留物。

(　　)，要注意的是，这种古老信仰的遗留物，一方面被某些人看做是应该被抛弃的东西，(　　　　)，它又对中国民间文化有着重大的影响。

中国民间信仰，从来没有得到官方正式的承认。(　　)它却从来也没有失去其自发、自然、自在的本色。

二、阅读训练

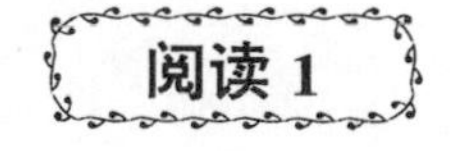

阅读1

"金　　融"

金融，原义是说用钱来办某事。所以，钱是这里的关键词。用钱来做事，这是"金融"做动词的意义。但是钱本身不是金融，至少不是金融市场里说的"金融"。金融市场里的金融必须是债务的买卖关系。例如，我借了张三一千元，写了一张借据，保证某年某月还钱。张三就成了我的债权人，有权利要我还债。但是，如果故事到这里就结束了，也就没有金融市场了，故事还要继续下去。一天，张三需要钱，就把债权卖给李四，收取一笔现金。债权可以买卖，使张三可以把债权当做一种钱，因为它跟钱一样可以流通。在我的债务到期之前，李四还可以继续卖给其他人，收取现金。在这样一个过程里，我开的借据就变成了“金融”，或曰其正式的名称：金融工具。金融市场就是有许许多多金融工具在那里买卖的市场。

（根据汪丁丁《金融热种种》改写）

选择正确答案

1. 为什么说“金融”可以被当做是一种钱？
   A. 因为金融的原义就是用钱来办事
   B. 因为金融可以买卖，在市场上流通
   C. 因为我、张三和李四都这么认为
2. 下面的说法哪个是错的？
   A. 我借钱给他，所以我是债权人
   B. 债权就是要人还债的权利
   C. 他借了我的钱，所以他有债权
3. “债务到期之前”的意思是：
   A. 还钱之前　　B. 收钱之前　　C. 买卖之前
4. 金融是什么？
   A. 用钱做事　　B. 金钱的买卖　　C. 债务的买卖

生　词

金融　jīnróng　（名）　finance
债务　zhàiwù　（名）　debt　借债的一方所负的还债的义务，或所欠的债。
债权　zhàiquán　（名）　creditor's right　要求借债的一方还债的权利。
现金　xiànjīn　（名）　cash
流通　liútōng　（动）　criculate　指商品、货币流转。
借据　jièjù　（名）　receipt for a loan　借别人的钱或东西时写的字条，由出借的人保存。

阅读 2

战争与梦想

1945 年，第二次世界大战结束以后，人们在某犹太人聚居区发现了一个孩子写的诗句：

> 很长很长时间以后，我会再好起来。
> 那时我会愿意活着，我还要再回家去。

后来，人们把这几句诗歌刻在华盛顿一个纪念馆的门口。每天，来自世界各地的人读到它，就怀念起那个在战争中仍然保有梦想的孩子。

1995 年 7 月，美国《纽约时报》有一则消息，报道了在前南斯拉夫(Yugoslavia)首都贝尔格莱德，有一个四处躲藏、不愿意参加战争的二十八岁的男性难民，他不愿意因为参加战争而杀人或被杀。这位不愿意说出姓名的男人说："现在，我有几个行动原则：我在公共汽车上的时候都非常小心，我总是不靠近那些大热天还穿外衣的人，因为便衣警察用外衣来遮着手枪、无线电报话机等东西；我从来不去难民聚集的地方；我也从来不去看电影。警察抓着我，就要把我送到不是要我杀人就是被人杀的地方。他们想让我回老家去，可我并不是回去保卫祖国。在我看来，现在保卫我的人民的真正利益的方法就是当逃兵。"

五十年过去了，战争仍然是那么强大，个人的生命仍然是这样弱小。那个男人对记者说的话显示出在今天的世界里，坚持基本人性仍然是件不容易的事；而那个男孩的诗句对很多人来说，仍然是一个梦想。

（根据丁泽《华盛顿：花落花开》改写）

回答问题

1. 写诗的男孩是什么人？
2. 为什么那个男人不愿意当兵？
3. 今年，那个男人的年纪是多少？
4. 天气热了，便衣警察为什么还要穿外套？
5. 那个男人认为保卫祖国和人民的方法是什么？

6. 作者的主要观点是什么？在哪一段出现？

生　词

躲藏　duǒcáng　（动）　hide(oneself)　躲起来不让别人找到。
便衣　biànyī　（名）　plainclothes　平常穿着的衣服。
逃兵　táobīng　（名）　army deserter　从军队里逃出来的士兵，不愿意当兵的人。
人性　rénxìng　（名）　human nature, humanity　人的本性。

阅读 3

中国学生为什么数学好

一位英国小学的校长发现，在他的学校里，来自中国的学生的数学成绩比英国的学生要好得多。为此，他来中国参观了一些学校，想找出原因。

他发现中国对十岁以下的儿童的教育方法比英国严格，从而使学生取得比英国学生更好的成绩。

他还认为，可能是由于汉字非常难学而使中国学生对数学充满信心。学习汉语是一个非常复杂的过程，英国儿童只需要学会 26 个英文字母，而中国儿童到十岁的时候必须至少学会两千个汉字。

不得使用计算器,也是使中国小学生的计算能力较强的原因之一。

教学水平的差别并不是由一个班里学生人数的多少造成的。中国学校每个班通常有四十个学生,比英国学校多一倍。课时的安排与英国差不多,因此,成绩的差别也不是课时多少造成的。

这位校长的研究还在继续,他说中国学生数学成绩出色也许有遗传方面的原因,但他相信他的研究将证明文化方面的原因是最主要的。

(根据《海外星云》文章改写)

指出哪些是中国小学生数学成绩好的原因

1. 学习汉字很困难
2. 不能使用计算器
3. 学习英文字母
4. 班里的人数多
5. 天生的数学能力
6. 上课的时间特别长
7. 老师对学生比较严格

生　词

计算器　jìsuànqì　(名)　calculator
遗传　yíchuán　(名)　heredity　生物体的构造和功能由上一代传给下一代。

完型填空

微　波　炉

微波炉(microwave oven)是现代化的烹调工具,深受城市人的欢迎。

(1)有份调查报告指出,微波炉放出的电磁场,会令人不安。

(2),一些新婚的小夫妻,最喜欢用微波炉,喜欢它又方便又快捷,(3)很多时候,这些夫妻会在厨房里争吵。

(4)科学家的研究,这是因为微波炉的电磁线对人体和大脑有不良的影响,能令人生气或情绪低落。假如每日都用微波炉,这种影响就更大。

(5)，科学家建议，少用微波炉，而且在使用微波炉的时候，不要在它旁边讨论问题。

1. A. 例如　B. 不过　C. 就是说　D. 其次
2. A. 但是　B. 好像　C. 此外　D. 例如
3. A. 但　B. 却　C. 故　D. 即
4. A. 这样　B. 但是　C. 根据　D. 最后
5. A. 最后　B. 所以　C. 因为　D. 根据

第四十二课

一、技　能

标志词之六：结论与概括

这类标志词一般位于段落或文章接近尾声的地方，常常连接着一些具有结论或概括性质的句子或段落。当读者看到这类标志词时，有必要放慢阅读速度，因为一般的作者在他们的写作结束之前，很有可能用一个短的段落或一两句话总结或归纳文章的主要观点或最重要的内容、信息，有时他们也会在那里提出一些令读者思考的问题，透露出他们自己对文章所讨论或介绍的问题的态度。

这类标志词主要有："总而言之"、"总之"、"综上所述"、"简而言之"、"一言以蔽之"、"可见"、"由此看来"、"这样"、"结果"等等。

练习

找出表示结论和概括的标志词并回答问题

这些地区受外来文化的影响很深。这种外来文化的影响当然与这些地区的殖民地历史密切相关。台湾受日本文化的影响较深，香港、新加坡受英国文化的影响较深刻、广泛。这种外来文化的影响表现在许多方面。除此，有些地区还受当地土著居民文化的影响，如新加坡便有许多文化现象源自马来族文化。总之，这些域外文化方言区里的文化是多元性的，这主要包括汉族传统文化、地方文化以及外来文化三方面。

根据这一段的总结，上一段的主要内容可能是什么？

由此看来，这种混合语（汉语中有一个或几个英语单词）可以说是中国近年来增强与西方世界友好往来、加快发展本国经济的一种副产品。它不仅表明国内社会经济的迅速发展，而且还反映出中国人对不同国家和民族文化的态度和对自身价值认识的深刻变化。

根据这一段的总结，推论一下，现在中国人对别的国家或民族的文化的态度是怎样的？以前又是怎样的？

狮子形象的中国化，从移植、归化到创新，经历了很长的过程，凝聚了许多人的心血。变化后的中国狮子，独立于世界艺术之林，真是中华一绝。简而言之，狮子形象之所以大放异彩，完全是由于输入中国文化的血液，既保存了自然界里狮子的威武的气派，又赋予它祥和的面貌。

根据这一段的总结回答：中国以前有狮子吗？这里说的中国狮子是真的狮子吗？

选择标志词填空

英国的企鹅出版社在成立六十五周年之际实行了一个计划。这个计划说起来并没有什么奇怪的，(1)它与“企鹅”的传统相当一致，(2)当它一次出版六十本书，每本定价六十便士，便造成了惊人的效果。

这六十本书所选的作者、作品有新有旧，远的(3)坎特伯雷、莎士比亚故事选集，近的则有史蒂芬·金的小说。(4)，在不同的国家，所选的六十本书各有不同。(5)了解，这套书推出后，约有二十本都打进了英国的畅销书榜。(6)，“企鹅”决定另外推出新的六十本书。

(7)，运用低价格的魅力是一个可能具有普遍性的成功经验。

1. A. 所以	B. 因此	C. 因为
2. A. 但是	B. 虽然	C. 相反
3. A. 例如	B. 如	C. 比如
4. A. 不过	B. 因为	C. 所以
5. A. 即	B. 就	C. 据
6. A. 之所以	B. 是由于	C. 因此
7. A. 因为	B. 可是	C. 看来

二、阅读训练

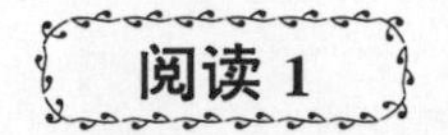
阅读 1

加盟松本电工,踏上美好前程

根据招工广告,看下面几个人可以申请什么工作

1. 张明,男,大学电脑专业毕业生,有 3 年工作经验。
2. 王小丽,女,25 岁,大学毕业,会英语和电脑。
3. 李华,女,广东人,大学毕业,熟悉电脑。
4. 徐迟,男,在某公司的人事部门工作了 5 年。
5. 刘阳,男,大学法律系毕业生。

1. 总经理秘书:女,28 岁以下,本科毕业,有 2 年以上外资企业工作经验,英文良好,懂电脑。

2. 商务代表与商务秘书:男女不限,23 岁以下,机电、自动化或工商专业毕业。工作地点:广州、深圳、珠江三角洲、湛江、长沙、南昌、南宁、海口、昆明、重庆。

3. 电脑部主管与职员:男,大学本科以上,有 2 年以上工作经验,熟悉工厂管理经验者优先。

4. 广告部:大专以上文化,有1年以上从事电脑平面设计经验,具有较强的广告策划意识及市场调查经验者优先。

5. 法律部:男,法律专业大学本科毕业。

6. 档案管理员:女,档案专业毕业,具有档案管理经验。

7. 高级生产管理员:有生产管理经验,有外资企业工作经验者优先。

8. 人力资源部经理:大专以上学历,有2年以上人事管理工作经验。

9. 销售部秘书:女,广东人,熟悉电脑,大专以上学历。

10. 电加工技工:有火花机、线切割机等操作技能,能独立编程,有3年以上工作经验者优先。

毕业前后

临毕业,全班同学在教室聚餐。吃完了,大家请小波讲故事,小波不肯,眯着眼一个劲儿地摇头。同学四年,大家在一起都很随便,于是不肯放过他。小波无法,只好勉强睁开眼睛,嘴里吐出两个字来:从前——

大家一听故事开始了,马上安静下来。只听小波说:从前有一个会法术的女人,很是刁钻,经常在家里欺负老公和儿子,逼老公和儿子干这干那。他们一有意见,她立刻用法术把老公和儿子变成羊。

小波接着往下讲:那老公实在气不过,就和朋友商量了一个法子。一天老公故意激怒了老婆,老婆又用法术把老公和儿子变成了一大一小两只羊。预先埋伏在门外的朋友这时走了进来,假装惊喜地看着这两只羊说,还不把它们宰了吃。说着抓起两只羊就往外走。老婆这回可真的着急了,赶紧大叫:“留小羊,留小羊,小羊是我儿!”

小波讲到这里忽然闭住了嘴。大家愣了一下,才明白过来,一起哈哈大笑:原来小波用我的名字的谐音“骂”我呢!如此的机智,让我挨了骂都生不出气来,还得跟着大伙一起开怀大笑。

毕业后我在酒厂工作。小波去了人民大学分校。不久，我们俩的夫人都出国留学去了，我们又重新过起了光棍汉的日子。我得坐班，小波当老师不用坐班，就不时来厂里找我，有时还顺便在浴室里洗个澡。后来我办公室的同事全都认识他了。这种日子整整过了两年，我们俩才双双出国去寻找老婆。

（根据刘晓阳《浪漫骑士——记忆王小波》改写）

选择正确答案并回答问题

1. 下面哪种说法是正确的？
   A. 小波不喜欢作者，所以骂他　　B. 小波和作者是好朋友
   C. 小波不会讲故事　　D. 作者和小波是同班同学，但不是朋友
2. 下面是几个生词的解释，哪一个不对？
   A. “聚餐”是一起吃饭的意思　　B. “谐音”是字音相同的意思
   C. “宰”是杀死的意思　　D. “光棍汉”是很穷的男人的意思
3. 为什么说小波骂了刘晓阳？是真的骂吗？

生　词

勉强　miǎnqiǎng　（形）　不愿意做。
刁钻　diāozuān　（形）　artful，tricky
欺负　qīfu　（动）　bully，take advantage of s. b
激怒　jīnù　（动）　使生气。
埋伏　máifu　（动）　有目的有计划地藏在一个地方。
愣　lèng　（形）　呆。
机智　jīzhì　（形）　聪明，反应快。
坐班　zuòbān　每天按照一定的时间上下班，例如：每天早上九点上班，下午五点下班。

阅读 3

宋代龙泉青瓷

宋代的民窑大量制作青瓷，其中，浙江龙泉窑的青瓷是民窑中釉色最为成功的作品。

龙泉地区制作青瓷已经有很长的历史了，宋代达到了很高的水平，

同时，由于可以出口到海外，龙泉青瓷的产量也非常大。

龙泉青瓷最突出的特色是它特别的、美丽的青绿釉色，中国人有把青瓷比做玉的习惯，翠玉的颜色只能在龙泉青瓷中才得到完美体现，而这种体现又是建立在民间瓷窑高超的技术和丰富的经验之上的。

龙泉青瓷中有一种被称为“粉青”的品种，使用的是较稠较厚的石灰碱釉，在还原焰的高温下它不易流动，釉层里的空气就以各种微小的气泡的形式保存在色釉之中，正是这些无数的小气泡使粉青在光线照射下，显示出翠玉的美丽。

粉青瓷的烧成温度大约在1150℃左右，还有一种梅子青瓷的烧成温度更高，达1250℃～1280℃之间，是龙泉青瓷的另一个有名品种。它们不但是民窑中青瓷的代表产品，也是宋代青瓷的典范，展示着宋瓷独特的风格和宋代制瓷的杰出成就。

注：古代中国的瓷窑分官窑和民窑，民窑是民间私人经营的瓷窑，官窑是政府拥有的瓷窑。

（根据刘道广《中国民间美术发展史》改写）

根据课文填空

1. 龙泉是中国（　　）省的一个地方。
2. 龙泉青瓷是（　　）代最有名的青瓷。
3. 宋代之前，民窑已经大量制作（　　）了。
4. 有名的龙泉青瓷有（　　）和（　　）两个品种。
5. （　　）色的龙泉青瓷像（　　）一样美丽。
6. 因为釉层中有无数的（　　），粉青才那么美丽。
7. 龙泉青瓷的产量很高，因为它们不但在中国出售，也在（　　）出售。
8. 龙泉的制瓷工人有高超的（　　）和丰富的（　　）。

生　词

瓷窑　cíyáo　（名）　China kiln, porcelain kiln　烧制瓷器的地方。

釉　yòu　（名）　porcelain glaze　以石英等为原料，磨成粉末，加水调整而成的物质，涂在瓷器表面，烧制后使瓷器像玻璃一样光亮，并加强其机械强度和绝缘性能。

玉　yù　（名）　jade　一种宝石。

翠玉　cuìyù　（名）　green jade　一种绿色的美玉。

杰出　jiéchū　（形）　outstanding　非常优秀。

完型填空

红颜色与红地毯

红颜色一直和权力有关系。起先，古代罗马的将军与贵族常常穿着带有红色的衣服。(　　)，红色成为帝王的颜色；(　　)，教堂也选用了这个颜色。

(　　)文献记载，最早走在红地毯上的是英国维多利亚王后，是1842年在伦敦火车站，她进行第一次铁路旅行的(　　)。之后，法国的拿破仑三世在19世纪末，大力推广红地毯。从此，红地毯在全世界流行起来。

红地毯到底应该多长？国际礼节(　　)规定，完全依照距离需要而定。

第四十三课

一、技　　能

抓重要细节

写作时，作者要用大量的细节来支持他们要论证、叙述或说明的观点。所谓细节，就是文字中的有关信息、事实情况、资料等，用来为主要观点提供证明、定义或事实的证据。有的细节是整个句子，有的只是词语或词组。为了有效地阅读，读者必须能够辨认并尽可能地记住文段中重要的细节。在一些阅读测试(例如 HSK 汉语水平考试)中，常常有一些问题是根据重要细节提出的，如果读者能够在这方面有所准备，就将节省不少时间。

读者可以根据以下四个步骤进行抓重要细节的练习：

1. 找出文段主题和主要观点。

2. 找出与主要观点相关的细节。如果发现这些细节与主要观点没有联系，那么主要观点很可能找错了。

3. 找出各细节支持主要观点的模式。作者常常把支持主要观点的各种细节分布在文段的不同地方，在这种情况下，一个主动而有效率的读者就要找出作者安排这些细节的模式。

4. 找出重要细节并记忆。重要细节当然不止一个，因此，读者常常不能一次把所有的重要细节都记住，但至少要大概知道在文段的什么地方能找到这些重要细节，在回答问题时，能迅速找到有关细节。

最后两个训练是密切相关的。

所以我们首先把注意力集中在“细节支持主要观点的模式”这一部分。细节支持模式一般包括：描述、空间关系、过程、时间顺序、举例或演示、分类、因果、比较、分析和定义。例如：

在现代社会，身材矮小者成了被社会侮辱和歧视的对象，这是不公正的，因为身高不能决定一个人的命运。人的高矮虽然不同，但都能做出自己的一番事业。对此，现代史上的一些显耀人物就很能说明问题：俄罗斯总统叶利钦身高 1.93 米，德国总理科尔 1.92 米，美国现任总统 1.86 米，西班牙现任首相 1.70 米、巴勒斯坦领袖阿拉法特 1.69 米，约旦国王侯赛因 1.65 米。尽管他们身高差异很大，但都是重要的人物。

显然，这段文字的主要观点是：身高不能决定人的命运。而它的细节支持模式是举例。

可以看出，这些模式在很大程度上与标志词有关系，所以，下面的练习又是跟标志词有关的综合练习。

练习

看看以下段落的有关细节是怎样组织起来支持主要观点的（每句话后均有序号）

(1)狂欢(carnival)是一发不可收的洪流，它是因为节欲和克制而造成的疯狂冲动，它具有一种歇斯底里和无法抑制的特点。(2)任何节制都会带来某种紧张。(3)人总是处于一种矛盾的地位，在人的身上，既有文明倾向，又有动物本性。人一般是通过节制动物本性而使两者相协调，但这并不能消解不断增加的压力。(4)于是，各式各样的紧张状态就导致了一种释放，即狂欢。(5)在某种意义上，战争是一种令人憎恶的极端的狂欢形式。此外，诸如鸡尾酒会上的争吵、恶作剧，以及常见的丈夫对妻子的不忠诚等等，也都可以看做是狂欢的各种形式。

（根据伯高·帕特里奇《狂欢史》改写）

1. 细节是以哪几种模式组织起来的？（在括号里打勾）
   定义（　　）　分类（　　）　分析（　　）　对比（　　）　举例（　　）
   因果（　　）
2. 以下问题的答案要在段落的哪一（几）句话中寻找？（写序号）
   A. 什么是狂欢？
   B. 人为什么需要狂欢？
   C. 狂欢可能表现为哪几种形式？

(1)据近代学者研究：客家(Hakka)先民原居住在所谓“中原旧地”，客家在南宋前有三次大迁移。(2)第一次是在东晋“永嘉之乱”后，大概都是沿着颖、汝、淮等河流，向南行动。(3)至于第二次迁移，是受唐朝末年黄巢起义影响，迁移路程较远的一部分人是从河南光山、潢川、固始，安徽寿县、阜阳等地方渡过长江进入江西，再迁到福建西部。(4)

较近的一部分人是直接从江西北部或中部迁移到江西南部、福建西部或广东北部。(5)第三次迁移,受南宋末年元人入侵的影响,移民大多是由江西和福建进入广东北部和东部。(6)其中,第二次迁移规模最大,奠定了客家的基础。(7)客家南迁,虽然开始于东晋,但是,“客家”的名称是一直到宋朝才出现的。

(根据邓晓华《人类文化语言学》改写)

1. 细节是以哪(几)种模式组织起来的?

定义(　　)　时间顺序(　　)　比较(　　)　空间关系(　　)　因果(　　)

2. 写出三次迁移(migrate)的时间各在哪一(几)句中:

a. 第(　　)句　b. 第(　　)~(　　)句　c. 第(　　)句

(1)狂欢是很有用的。(2)第一,对各种各样的紧张而言,它是一种释放。(3)第二,它还能引起人们对平静的自我克制的重新追求。(4)这种自我克制在日常生活中是必不可少的。(5)正因为如此,各种不同类型的人类群体都进行集体的狂欢,国家和社会常常对这种狂欢持支持的态度。(6)古希腊人有狂欢,中世纪的基督徒也有狂欢。(7)另外,还有一种个人的狂欢。(8)这种狂欢与个人内心的平衡有关,但这种狂欢受到国家或社会的限制。

1. 细节是以哪(几)种模式组织起来的?

因果(　　)　分类(　　)　比较(　　)　时间顺序(　　)　定义(　　)
举例(　　)

2. 国家和社会对不同的狂欢有什么不同的态度?

(　　)的狂欢,国家和社会的态度:(　　　　)。答案在第(　　)句。
(　　)的狂欢,国家和社会的态度:(　　　　)。答案在第(　　)句。

(根据伯高·帕特里奇《狂欢史》改写)

二、阅读训练

阅读 1

写给妻子的信

我不是说今天只准备写两页信吗?可这是不行的。两岸的小鸟叫

得动人得很，我学它们叫，文章也写不下去了。现在我已经学会了这种曲子，我只想在你面前装成一只小鸟，请你听我叫一会儿。南方与北方不同的地方就在这里，南方的冬天也有莺、画眉、百舌。水边的大石头上，只要天气好，每早就有这些快乐的鸟，在上面晒太阳，很自得地啭着喉咙。人来了，船来了，它们便飞入岸边的竹林中去。过一会儿，又在竹林里叫起来了。从河中还常常可以看到岸上有黄山羊跑着，向树林深处跑去。这些东西和上海法国公园养的小獐一个样子，同样的毛色，同样的美丽而安静，不过，黄山羊胖一点点。

……

我天生就好像是要给你写信的。在你面前时，我不知道为什么总是让你生气，非得写信道歉不可。一离开你，那就更要时时刻刻写信不可了。如果我们就那么分开了三年两年，我们的信一定可以有一箱子。我总好像要跟你说话，又永远说不完。在你身边，我明白口并不完全是说话的工具，所以还有沉默的时候。但一离开，这只手除了给你写信，就做不好别的事了。

我想起我们那么好，就忍不住轻轻地叹息，我幸福得很。有了你，我什么都不缺少了。

二　哥

十六午前十一点二十分

注：这封信是中国现代著名作家沈从文 1934 年 1 月 16 日写给他妻子的信，改写自他们的书信集《湘行记》。

一、把不同类的词语划出来

1. 水边　　两岸　　岸边　　岸上　　水中
2. 莺　　画眉　　百舌　　老鹰　　鸟
3. 竹林　　树林　　草地　　花丛　　公园

二、选择正确答案

1. "现在我已经学会这种曲子"在文章中是什么意思？

   A. 我已经学会唱一首歌　　B. 我已经学会唱一种民歌(folk song)

   C. 我已经学会鸟叫　　D. 我已经学会写歌曲了

2. 根据这封信，我们知道：

   A. 北方和南方的冬天都很冷　　B. 南方冬天也有很多小鸟，北方没有

   C. 南方没有冬天，北方有　　D. 写信的时候不是冬天

3. 小鸟"啭着喉咙"的意思是：

   A. 小鸟的喉咙不舒服　　B. 小鸟在咳嗽

   C. 小鸟在叫　　D. 小鸟的喉咙没有了

4. 从信中可以看出，作者在哪里给妻子写信？

   A. 在河中的船上　　B. 在河边　　C. 在旅馆里　　D. 在树林里

5. 作者比较喜欢哪种表达感情的方式？

   A. 说话　　B. 唱歌　　C. 写信　　D. 沉默

6. 下面哪种说法不对？

   A. 作者和妻子生活得很幸福　　B. 作者离开了妻子，一个人在南方

   C. 作者已经离开妻子两三年了　　D. 因为有了妻子，作者觉得很满足

生　词

曲子　qǔzi　（名）　song, tune, melody

自得　zìdé　（形）　self-satisfied, contented　自己感到满意或舒服。

叹息　tànxī　（动）　heave a sigh　心里有感受而呼出一口气。

阅读 2

空中小姐

波音公司于1930年5月15日开始雇佣8名护士随机服务,开"空中小姐"的先例。这一措施开始是由波音公司的一名职员史提夫·司汀浦森向主管提出的书面建议:"试想班机服务人员加入年轻女性,在心理方面收获一定很大。本人并非建议雇佣奇装异服的轻浮少女,而认为一般护士学校毕业的少女,具有相当常识者较为适宜。"结果,公司接受了他的建议。

波音公司当时选用空中女服务员的条件是:年龄在25岁以下,体重在50公斤以上,身高170公分以下,每月飞行100个小时,月薪125美元。雇佣时规定她们的服务项目为:起飞前打扫机舱、擦地板、整理坐位,检查坐位是否与地板锁紧;飞行中警告乘客不要将烟头丢出窗外,注意乘客起身去洗手间时不要错开了飞机门。

(根据《读者》文章改写)

一、以下哪些事情不是波音公司的空中小姐的工作

打扫飞机　　检查飞机　　送食品饮料　　警告乘客不要抽烟
防止乘客错开机门掉下飞机　　防止乘客去洗手间　　整理坐位
警告乘客不要把烟头扔出机窗　　检查坐位是不是紧锁在地板上

二、选择正确答案

1. 最早的8名空中小姐都是:
   A. 中学毕业生　　B. 服务员　　C. 护士　　D. 文中没有提及
2. 以下哪一位小姐可能被当时的波音公司雇佣?
   A. A小姐,26岁,165公分,55公斤,是医院护士
   B. B小姐,20岁,171公分,51公斤,护士学校毕业生
   C. C小姐,23岁,168公分,52公斤,有两年护理工作经验
   D. D小姐,20岁,169公分,50公斤,小学毕业

生　词

空中小姐　kōngzhōngxiǎojiě　（名）　airplane stewardess　飞机上的女服务员。
先例　xiānlì　（名）　precedent　已有的事例。
奇装异服　qízhuāngyìfú　（名）　exotic costume　穿着与当时社会上一般人式样不同的服装(多为贬义)。
轻浮　qīngfú　（形）　frivolous　言语举动随便，不严肃不庄重。
机舱　jīcāng　（名）　cabin(of the airplane)　飞机内载乘客装货物的地方。

完型填空

动物的“警戒线”

科学家们从长期的观察研究中，发现所有的动物，(　　)那些被驯服的之外，彼此之间都保持一定的自卫(　　)，这种距离称为“警戒线”，也有人叫它“战斗边缘”。蜥蜴的距离是2码，狮子是25码，鳄鱼是50码，长颈鹿在200码以上。当它们发现比自己更强的敌人在警戒线上(　　)时，就立刻逃跑或装死。(　　)当敌人已经闯入了警戒线时，它们就不是逃走而转为(　　)了。毒蛇咬人，蜜蜂刺人，臭鼬鼠放毒，(　　)是在这种情况下，被迫做出的进攻。

第四十四课

一、技　　能

预测之一：预测的含义和根据

预测是阅读的一种技巧，意思是根据前面读过的内容，推测出后面没有读过的内容。比如下面这句话：

(1)虽然他学习很认真，但是他的成绩却总是不理想。

有了预测能力，读到"但是他的成绩"，就可以推测出后面的大概内容"却总是不理想"。

再看下面的句子：

(2)他一考试就紧张，一紧张就不会做题，越不会做题就越紧张，越紧张就越不会做题。

看到第二个"越紧张"，就知道后边内容大概是"就越不会做题"。

预测能力有强弱的区别。如例句(2)，具有一般预测能力的读者，可以预测出最后的"就越不会做题"；而预测能力强的读者，看到第二句的"一紧张"，就可以预测出后半个分句大概是讲"不会做题"之类的内容。

由于预测能力有强弱的区别，所以预测的范围就有大小的区别。如例(2)，预测能力弱，预测范围只是最后半句的内容；预测能力强，预测范围可以延伸到第二、第三分句后半句的内容，即看到第二句的"一紧张"，可以预测出"就不会做题"；看到第三句"越不会做题"，可以预测出"就越紧张"。

预测必须有一定的根据。如例句(1)，预测的根据主要是两点：第一，关键性连词"虽然……但是……"；第二，前一个分句的内容"他学习很认真"。综合这两点，我们知道后一分句表示的结果跟前一分句表示的内容正好相反，由此可预测出后一分句后半段的大概意思。

再如例句(2)，预测的根据一是"越……越……"的格式，二是前边的句式和词语的意思。根据这两点，读到第二个"越紧张"，后边的意思就很容易推测了。

练习

预测空格里的内容，并把它们写出来

1. 身体不好怎么能上课？如果你真的不舒服，就＿＿＿＿＿＿＿＿。

2. 他被金庸武侠小说里的人物迷住了，小说人物哭，他就跟着哭，小说人物笑，他＿＿＿＿＿＿＿＿。

3. 他小时候就喜欢冒险，经常偷偷地离开家到外边玩好几天，不但学校的老师不知道他去了哪里，就连＿＿＿＿＿＿＿＿。

4. 小王真聪明，虽然课上得不多，但考试成绩＿＿＿＿＿＿＿＿。

预测空格里的内容并写出来，然后选择正确答案

一周电影排行榜

片 名	本周票房	场 次	人 数	名 次
空中大掼篮	173000	460	8990	1
大转折	55000	97	3200	2
鸦片战争	53200	85	4900	＿＿
飞虎	33600	130	1500	＿＿

（摘自 1997 年 7 月 24 日《羊城晚报》）

1. 根据排行榜，＿＿＿＿＿＿＿＿票房最高。
   A. 空中大掼篮　B. 大转折　C. 鸦片战争　D. 飞虎
2. 根据排行榜，＿＿＿＿＿＿＿＿上映场次第二多。
   A. 空中大掼篮　B. 大转折　C. 鸦片战争　D. 飞虎
3. 根据排行榜，＿＿＿＿＿＿＿＿看的人数倒数第二。
   A. 空中大掼篮　B. 大转折　C. 鸦片战争　D. 飞虎
4. 根据排行榜，名次的排列主要是根据＿＿＿＿＿＿＿＿。
   A. 人数　B. 场次　C. 票房　D. A 和 B

婚姻法颁布以后

1981年婚姻法颁布实行。1982年离婚案件的收案率比1981年上升8.5%，1983年比1982年下降1%，1984年比1983年上升9%。也就是说，这三年离婚收案率不是直线上升，也不是直线下降，而是________。

离婚的原因很复杂。首先，封建势力的影响还相当严重，农村中包办买卖婚姻的现象还存在。在父母的逼迫下，女青年不得不跟自己不喜欢的男人结婚，婚后往往两人感情不和，不久就________。

其次，"第三者插足"引起的离婚现象也很严重。以前，这种现象比较隐蔽，当事人不敢告诉别人自己跟第三者的关系。现在，这种现象越来越公开化了，许多当事人公开承认自己________。

1. 根据文章，农村中什么现象相当严重？

   A. 第三者插足　B. 离婚原因复杂　C. 包办买卖婚姻　D. 女青年不结婚

2. 根据文章，1983年离婚案收案率比上一年：

   A. 上升9%　B. 下降9%　C. 上升1%　D. 下降1%

3. 下面哪句话不是真的？

   A. 1981年到1983年离婚案收案率直线上升

   B. 第三者插足现象以前比较隐蔽

   C. 农村中一些女青年的婚姻没有爱情

   D. 1982年离婚案收案率上升了

4. 什么人叫第三者？

   A. 家里的第三个人　B. 想跟有夫之妇或有妇之夫结婚的人

   C. 插足的人　D. 跟有夫之妇或有妇之夫有爱情并想与之结婚的人

二、阅读训练

阅读1

生态环境继续恶化　黄河断流日甚一日

新华社讯　"君不见黄河之水天上来，奔流到海不复回。"古诗中描绘的这种壮观景象，由于黄河频繁出现的断流而逐渐成为过去。更令人忧虑的是，由于生态环境的继续恶化，黄河断流正日甚一日。

据介绍，从1972年开始，黄河下游出现断流。90年代以来更是年年断流，而且时间越来越早，历时越来越长，影响范围越来越大。去年达到133天，为历史之最。今年又再次发生了断流。

黄河专家钱家骧、秦云全等认为：断流与生态恶化联系密切。黄河流域曾经拥有茂密的森林和广阔的草地，保证了河水的充足。但由于人类对自然的掠夺性开发，森林草地植被逐渐减少，风沙的危害越来越严重，光山秃岭随处可见，黄河流域内干旱加重，结果是断流越来越厉害。由于泥沙在河道大量淤积，黄河下游成为"悬河"，入海水道变得极不稳定，曾造成多次灾害。

与此同时，断流也使生态更为恶化：河流污染物全部沉积于河床；风沙危害加重；减少了地下水的补给，阻断了海陆物质交换；影响了下游河道鱼类的产卵繁殖等。

（摘自1997年7月7日《北京晚报》）

选择正确答案

1. 第一段的"频繁"是什么意思？
   A. 繁荣　B. 次数多　C. 频率　D. 很严重
2. 根据文章可以知道，古代的黄河怎么样？
   A. 河水很大　B. 经常断流　C. 连接着天　D. 流域没有草原
3. 根据文章，下面哪句话不是真的？
   A. 黄河流域现在已经没有广阔的草地和茂密的森林
   B. 河道里有大量泥沙沉积，黄河下游成为"悬河"
   C. 断流使风沙的危害比以前严重了
   D. 黄河断流时间长了，但地下水增加了
4. 文章第二段和第三段的主要意思分别是：
   A. 1972年开始黄河出现断流；自然性开发太严重
   B. 近年来，黄河断流越来越严重的现象；断流与风沙的关系
   C. 黄河断流的加剧；黄河断流加剧的原因
   D. 黄河去年断流133天；断流与生态恶化联系密切

生　词

断流　duànliú　江河没有水了。

频繁　pínfán　（形）　发生次数多。

忧虑　yōulǜ　（形）　忧愁担心。

恶化　èhuà　（动）　变坏了。

茂密　màomì　（形）　（树或草等）茂盛繁密，生长得很多很好。

植被　zhíbèi　（名）　vegetation　长在某一地区地面上、有一定密度的各种植物的总和。

秃　tū　（形）　光的，没有草木。也形容人的头上没有头发。

掠夺　lüèduó　（动）　抢夺。

开发　kāifā　（动）　以荒山、矿井、森林、水力等自然资源为对象进行劳动，来达到利用的目的。

悬　xuán　（动）　挂。

卵　luǎn　（名）　ovum; egg; spawn　动植物的雌性（母）生殖细胞，与精子结合后产生第二代。

繁殖　fánzhí　（动）　breed; reproduce　生物产生新的个体，以传代。如母亲生孩子。

阅读 2

中国的钱币博物馆

钱币收藏家们都知道中国人民银行有一座中国钱币博物馆，那里的藏品令人羡慕不已。但这座博物馆没有对外开放，所以一般人不怎么知道。记者日前经申请得以进入参观。

走进中国钱币博物馆厚重的钢门，便进入了展厅，这里每个角落都在电子摄像机的监视之下，人们的一举一动都会显示在电视屏幕上。

我们首先看到了春秋战国时代从农具演变成的布币、从工具演变成的刀币、源于玉璧和纺轮的圆钱、从海贝演变来的蚁鼻钱。刀币、布币大者如巴掌，而小巧玲珑的蚁鼻钱仅指甲大小，上面还有文字。这一时期，许多小的诸侯国都用自己的钱币，所以货币的形状多种多样。秦始皇统一中国时，货币统一为方孔圆形的秦半两钱币，方孔左右分铸“半”、“两”二字，十分漂亮。

更为珍贵的是金银货币的展品。这里有春秋战国时期的银布币、唐代的金条、宋金牌、辽金片、明金锭银锭、清银饼银元、民国时期的袁大头等。新中国发行的金银纪念币在这里也全有收藏。

纸币与铜铁金属币相比，重量轻、便于携带，也是一项重要的展览内容。展馆里有宋代、元代的纸币，清代户部官票、大清宝钞，早期民族资本银行发行的钞票，解放前被当做手纸的金元券，新疆省银行发行的60亿元面值的纸币，还有解放区人民币，建国后中国人民银行发行的纸币等。

用价值连城比喻中国钱币博物馆一点也不过分。由于它隶属中国人民银行，因而藏品的丰富和珍贵是其他地方性展馆或个人收藏家所远远不能比的。

（摘自1997年7月7日《北京晚报》）

选择正确答案

1. 根据文章，中国钱币博物馆：
   A. 很有名　B. 参观的人不多　C. 没人知道　D. 只要申请就能参观
2. 文章第二段说明什么？
   A. 这个博物馆保卫工作很严格　B. 这个博物馆里有很多电视看
   C. 这个博物馆的门非常高级　D. 博物馆的展厅非常大
3. 根据文章，秦代的统一货币有什么特点？
   A. 方孔圆形，像巴掌那么大　B. 有"半"、"两"二字，像指甲那么大
   C. 有"半"、"两"二字，方孔圆形　D. 像农具，非常漂亮
4. 文章哪一段有对钱币的细节描写？
   A. 第二段　B. 第三段　C. 第五段　D. 第六段

生　词

摄像　shèxiàng　（动）　用摄像机（一种比照相机先进的电子拍摄设备，图像是活动的）拍摄。
监视　jiānshì　（动）　keep an eye on　在旁边严密注视、观察。
小巧玲珑　xiǎoqiǎo línglóng　小而灵巧、精致。
锭　dìng　（名）　做成一块块的金属或药。
钞票　chāopiào　（名）　纸币。
手纸　shǒuzhǐ　（名）　上厕所时用的纸。
面值　miànzhí　（名）　纸币或票据上标明的金额。
价值连城　jiàzhíliánchéng　比喻非常值钱。
珍贵　zhēnguì　价值大；比喻意义深刻。

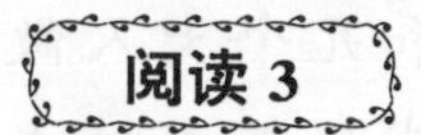

阅读 3

他对独立的要求

不知从什么时候起，和他出去，他不愿让人拉他的手了。一只胖胖的小手在我的手掌里，像一条倔强的活鱼一样挣扎着。有一次，我带他去买东西，他提出要让他自己买。我交给他一毛钱。他握着钱，走近了柜台，忽然有些害怕起来。我说："你交上钱，我帮你说好了。""不要不要，我自己说。"他说。到了柜台跟前，他又嘱咐了我一句："你不要讲话噢！"售货员终于过来了，他脸色有点儿紧张，但还是勇敢地开了口："同志，买，买，买——"他忘了要买什么了。我终于忍不住："买一包山楂片。"他好久没说话，潦草地吃着山楂片，神情有些沮丧。我有点后悔起来。

后来，他会独自拿着五个汽水瓶和一元钱到门口的小店买汽水了。他是一定要自己去的。假如我不放心，跟在他后面，他便停下不走了："你回去，回去嘛！"我只好由他去了。他买汽水日益熟练，热情日益高涨，最终成为一种可怕的狂热。为了能尽快拿着空瓶子再去买，他就飞快而努力地喝汽水。一个炎热的中午，我从外面回来，见他正在门口小店买汽水。他站在冰箱前头，露出半个脑袋。售货员只顾和几个大人做生意，看都不看他一眼。他满头大汗的，耐心地等待着。我极想走过去帮他叫一声“同志”，可最后还是忍住了。

（根据王安忆《漂泊的语言》改写）

判断正误

(　　)1. 他不喜欢我，所以不要我拉他的手。
(　　)2. 文章中的“他”是一个儿童。
(　　)3. 他非常喜欢喝汽水，所以很快很努力地喝。
(　　)4. 门口小店的售货员服务态度很好。
(　　)5. 他要求独立，不要我的帮助。
(　　)6. 最后，我理解了他对独立的要求。

生　词

倔强　juéjiàng　（形）　性格坚强，不服输。
挣扎　zhēngzhá　（动）　struggle
潦草　liǎocǎo　（形）　做事随便，不仔细，不认真。
神情　shénqíng　（名）　人脸上表现出来的心里的感觉。
沮丧　jǔsàng　（形）　dejection, depression
日益　rìyì　（副）　一日比一日更，越来越。
狂热　kuángrè　（名）　一时产生的、不太正常的、强烈的热情。

第四十五课

一、技　能

预测之二：预测的分类

预测可以按照预测的根据进行分类，而预测的根据可以大致分为两大类：

（一）常识，即平常大多数人都知道的知识。如下面这个句子：

寿命跟性别有关。一般说来，男人的寿命比较短，女人的寿命比较长。

这一句最后两个分句的内容是一般人都知道的常识。预测能力强的读者，不用看就可以推测出来；具有一定预测能力的读者，看完“男人的寿命比较短”，后面的内容也能猜出来。

在上一课里，我们举过一个例子：

他一考试就紧张，一紧张就不会做题……

“一紧张就不会做题”也是常识，预测能力强的读者，只要看到“一紧张”，后边的意思就可以推测出来了。

（二）上文的内容和形式。也就是说，根据读过部分的意思和一些关键性词语，预测没有读过的部分。如下面的句子：

由于学校的老师不够，同学们又很喜欢张老师的课，所以，尽管张老师身体不太舒服，可他还是坚持来给同学们上课。

根据前边三个分句的意思（老师不够，同学们喜欢他的课，他身体不太舒服），根据转折连词“尽管……可……”，我们就很容易预测出最后一个分句的意思（他还是坚持来给同学们上课）。

在上一课，我们举过另一个例句：“虽然他学习很认真，但是他的成绩却总是不理想。”根据前一分句的意思和“虽然……但是……却……”，后面的意思不用看也能推测出来。

根据上文的内容和形式预测下文，可以分为几小类。具体内容将在下两课里详细介绍。

练习

阅读下面的句子，预测空格里的内容并写出来

1. 在中国，越往北边天气越冷，越往南边__________。

2. 十几年前，中国政府开始大力推行计划生育，提倡一对夫妇__________。

3. 大家知道，地球分为南半球和__________，澳大利亚在南半球，中国在__________。

4. 一个独生子女能得到多少人的疼爱呢？在直系亲属里，除了父母以外，还有祖父、祖母、外祖父、外祖母，也就是说，围着一个孩子转的，一共有__________。

5. 十几年前，中国一般家庭希望添置的东西是四大件：自行车、手表、收音机、缝纫机。到了90年代，一般家庭不满足以前的四大件了，而是有了更高的要求，那就是：彩电、电冰箱、洗衣机、组合音响。有人称它们为__________。

6. 尽管她很想结婚，可是一直找不到意中人，所以到现在仍然__________。

阅读下面的文章，预测空格里的内容并写出来

大家知道，在中国，最普遍的交通工具是__________。无论在城镇乡村，在大街小巷，到处可以看见__________的影子。作为一种交通工具，__________这么普遍，是因为它有__________：

第一，方便。中国现在的交通还不是很发达，公共汽车还不够多，不能满足群众的所有需要，私人汽车现在更少，很多人都买不起，加上道路不够，停车场也不够，地铁更是少得可怜。所以，__________就成了城镇居民的主要交通工具。就是在规模比较大的大学里边，__________也是不可缺少的__________。从宿舍到教室或图书馆，从办公室到食堂或试验室，都离不开__________这位好朋友。

第二，价钱______。私人汽车现在起码要十多万元，一般老百姓买

不起。坐公共汽车比较便宜，但一家几口人出去上班、上学，花费也不少。而买＿＿＿＿＿＿＿＿，只需要＿＿＿＿＿＿＿＿。

第三，不消耗能源，也不污染＿＿＿＿。中国能源少，人口＿＿＿＿，私人汽车很难普及。

阅读下面的文章，预测空格里的内容并写出来，然后选择正确答案

中国人常说"妇女是半边天"，意思是妇女在社会上担负了一半的工作，妇女的地位和男性一样。但是实际上，情况＿＿＿＿＿＿＿＿。事实是，很多重要的工作，特别是地位、工资比较高的工作，大多由男性来做；而很多不那么重要的工作，地位、工资不那么高的工作，则是＿＿＿＿＿＿＿。根据1983年的统计，女职工的数字只占全部职工的36.5%。中国虽然也有女部长、女市长、女校长、女经理、女教授……但是数量比男性＿＿＿＿＿＿＿＿，而纺织工人、护士、托儿所保姆等工作，几乎全都＿＿＿＿＿＿＿＿。

在工作单位，女性要和男性一样拼搏，否则，提工资、提职称及职位升迁就轮不到她们；而在家里，女性却要做比男人多得多的家务，要为丈夫和孩子担心。因此，她们很难把精力全部＿＿＿＿＿＿＿＿。家庭和事业的矛盾摆在每个妇女的面前：全心全意搞事业，就可能失去自己的家庭；全心全意照顾家庭，就会＿＿＿＿＿＿＿＿。

在现代社会，真正理解和体谅妇女的人是很少的。如果丈夫和妻子都是事业心很强的人，大家各忙各的事业，家庭生活就只好从简了。吃饭马马虎虎，营养不良，身体不好，孩子没人管，生活中就增加了许多新的苦恼。因此有的人认为，妇女根本不应该到社会上工作，而应该＿＿＿＿＿＿＿＿。

1. "妇女是半边天"的意思是＿＿＿＿＿＿＿＿＿＿＿＿。
   A. 妇女的地位跟男性一样　　B. 妇女在家里只干一半家务
   C. 妇女的人数是社会的一半　　D. 妇女的工资是男人的一半
2. 从文章可以看出，作者认为，＿＿＿＿＿＿＿＿＿＿＿＿。
   A. 女职工的比例比较多　　B. 女教授的数量比较多
   C. 女纺织工人的人数比较多　　D. 女经理的地位不那么高

3. 文章描写夫妻两个人事业心都强的人时，下面哪句话不是文章中所描述的？
   A. 夫妻俩都专心干自己的事业　B. 家庭生活比较随便
   C. 照顾、教育孩子的时间不多　D. 家务事请保姆来做

二、阅读训练

音乐为何能使人长寿

科学家最近发现，音乐是一种振波，它不但可以影响人的感情，还可以对人的身体产生和谐的振动。音乐具有多种不同的节奏，而人体的活动对音乐节奏有明显的跟随作用，因此音乐节奏的变化可以带动并且调节人的生理节奏，所以有的医生精心挑选各种不同节奏的乐曲，以便供不同的患者使用。

音乐的治疗作用一方面是通过音乐的艺术感染力作用于感情，以感情引导心理，既可以增强人的抗病能力，还可以消除精神上的阻碍；另一方面则可以通过音乐的物理作用，以特定的频率、声音直接作用于人体的感官，如对心脏或听觉器官起作用。

音乐治疗往往需要配合药物或者其他的治疗方法。音乐治疗还可以配合一些舞蹈动作进行，使音乐和舞蹈的美感作用于心理，而动作则可以使人的肌体得到锻炼。它与体疗、理疗、职业疗法都很接近，常常可以结合起来进行。所以音乐疗法也是康复学的一个组成部分。

事实上，音乐还可以促进人体分泌出一种有益健康的生理活性物质，以调节人体的生理节奏，从而使人朝气蓬勃。

（摘自 1997 年 7 月 7 日《北京晚报》）

选择正确答案

1. 根据文章第一段和你自己的知识，下面哪句话是科学家最近发现的内容？
   A. 音乐可以影响人的感情
   B. 音乐有多种不同的节奏
   C. 音乐对人的身体产生和谐的振动
   D. 有的医生挑选不同节奏的音乐给病人使用

2. 根据文章内容,音乐的治疗作用在哪些方面?

A. 精神方面和感官方面　　B. 感情方面和心理方面

C. 心理方面和心脏方面　　D. 感情方面和精神方面

3. 根据文章内容,下面哪句话的内容是对的?

A. 音乐疗法往往可以单独进行

B. 音乐治疗可以直接使人的肌体得到锻炼

C. 音乐疗法会产生一种有益健康的生理活性物质

D. 音乐节奏的变化可以引导、调节人的生理节奏

4. 文章第三段的"它"代表上文的哪个词语?

A. 音乐　　B. 音乐舞蹈　　C. 音乐疗法　　D. 舞蹈动作

5. 文章第三段的"康复"是什么意思?

A. 健康　　B. 健康重复　　C. 医药　　D. 恢复健康

生　词

节奏　jiézòu　(名)　rhythem　音乐中交替出现的有规律的强弱、长短的现象。

调节　tiáojié　(动)　regulate; adjust　改变原来的情况,使之适合客观的环境和要求。

感染　gǎnrǎn　(动)　通过语言和行为引起别人相同的感情和想法。传染。

疏导　shūdǎo　(动)　dredge　引导使顺利通过。

阻碍　zǔ'ài　(动、名)　block; hinder　使不能顺利通过或发展,有阻碍作用的东西。

频率　pínlǜ　(名)　frequency　在一定时间里发生的次数。物体每秒钟振动的次数。

理疗　lǐliáo　(动、名)　physiotherapy　用物理的方法治疗,物理治疗法。

分泌　fēnmì　(动)　secretion　从生物体的细胞、组织、器官产生的某种物质。如吃饭时嘴里会～口水。

阅读 2

年轻的女性

"年轻真好",对于女人来说,这似乎是一个真理。前几年有一则广告"今年 20,明年 18",是一句多少女人明知是谎言却又愿意去听的奉承话。年轻,对于女人来说,不仅仅意味着一张鲜嫩没有皱纹的脸,一副苗条的身材,更意味着两个字:自由。看看年轻的女人们都在忙些什么:

在所有 16～25 岁的女性中,她们最忙的是看电视,占 57.8%,忙着念书的占 52.2%,忙着工作的占 31.1%;她们还忙于逛街购物,她们

中有40%的人乐此不疲。而年龄越大的女人用于逛街的时间则越少，26～35岁的女人有20%忙于此，35～45岁的女人则只有12.2%。由此看来，有人抱怨商家的商品太过年轻化是没有道理的，明摆着的原因是年纪大的女人没有那么多的时间去购物。年轻的女人在忙着外出游玩的有13.3%，另外两个年龄段的女性此项只占4.8%和0.9%；年轻的女人们在忙着健身，占11.1%，其他两个年龄段为1.9%和2.6%；年轻的女人们在忙着干兼职，占6.7%，其他两个年龄段为1%和2.6%。所有这些，都是因为年轻的女人们有的是时间和精力，也有的是对各种时髦商品的占有欲。

年轻的女人，更多地认为幸福就是活得“开心”(占32.2%)和“无忧无虑”(占6.7%)；年轻的女人感情最脆弱最需要别人的关爱，她们认为有很多人爱就是幸福(对此问题三个年龄段的认识分别为13.3%、6.7%和5.2%)。当然，不能因此就认为年轻的女人就不思进取，事实正相反，她们中的24.4%更倾向于认为学业或工作的成功和顺利就是幸福，而其他两个年龄段的女人分别只有16.2%和18.2%的人这样认为。

(摘自1997年7月18日《南方周末》)

选择正确答案

1. 文章第一段的“谎言”可以用什么词语代替？
   A. 奉承话　B. 假话　C. 谎报　D. 好听的话
2. 第一段的“苗条”是什么意思？
   A. 健壮　B. 细长柔美　C. 草苗一样　D. 健美
3. 根据文章内容，26～35岁的女人有20%忙于干什么？
   A. 看电视　B. 念书　C. 工作　D. 逛街
4. 忙着健身的女人，16～25岁的和35～45岁的分别有多少？
   A. 11.1%，2.6%　B. 1.9%，2.6%　C. 6.7%，1%　D. 4.9%，2.6%
5. 认为学业或工作成功和顺利就是幸福的女人，在哪个年龄段里最多？
   A. 35～45岁　B. 26～35岁　C. 16～25岁　D. 11～15岁

生　词

真理　zhēnlǐ　（名）　真实的道理。
奉承　fèngcheng　（动）　flatter　说好听的话让别人高兴。
皱纹　zhòuwén　（名）　wrinkles; lines　物体表面因收缩或揉弄而出现的一凸一凹的纹道。人年纪大了，脸上就会有～。
抱怨　bàoyuàn　（动）　埋怨，表示心中的不满意。
明摆着　míngbǎizhe　很清楚。
脆弱　cuìruò　（形）　fragile; weak　软弱容易断的，禁不起挫折，多用于形容情感意志。

阅读3

台湾金融机构申请在香港设立分支机构

香港回归祖国了，台湾金融机构前往香港设立分行的热情依旧。目前又有多家银行向台湾当局提出在香港设立分支机构的申请。

据报道，台湾的一些银行早在四年前就开始进入香港金融市场并筹建香港分支机构，其目的是为了适应日益扩大的两岸经贸活动，为投资祖国大陆的台商提供金融服务。目前，在香港设立分行的台湾金融机构已有台湾银行、台湾华南银行、台湾彰化银行、台湾第一银行以及最近才获批准的民营金融机构台湾信托商业银行等五家；台湾中小企业银行和台北企业银行在香港成立了办事处。此外，还有台湾远东、台湾中华、台湾华信等银行，已向台湾当局申请在香港设立办事机构。

（摘自1997年7月7日《北京晚报》）

选择正确答案

1. 根据文章的第一句话，我们可以知道什么？
   A. 香港回归祖国前，台湾金融机构前往香港设立分行的热情跟以前一样
   B. 香港回归祖国后，台湾金融机构前往香港设立分行的热情比以前更高
   C. 香港回归祖国后，台湾金融机构前往香港设立分行的热情跟以前一样
   D. 香港回归祖国前，台湾金融机构前往香港设立分行的热情跟以前不一样
2. 根据文章内容，下面哪句话不是台湾一些银行在香港筹建分支机构的目的？
   A. 适应日益发展的两岸经贸活动
   B. 早一点进入香港金融市场
   C. 为投资祖国大陆的台商提供金融服务
   D. 更好地参与大陆和台湾的贸易活动
3. 根据文章内容，已经在香港建立分行的台湾银行有：
   A. 台湾华南银行，台湾第一银行，台湾远东银行
   B. 台湾华南银行，台湾第一银行，台湾中小企业银行
   C. 台湾第一银行，台湾中小企业银行，台湾中华银行
   D. 台湾彰化银行，台湾信托商业银行，台湾银行

生　词

当局　dāngjú　（名）　政府或学校中的领导者。
民营　mínyíng　（形）　人民群众投资经营。

第四十六课

一、技　　能

预测之三:意义的重复、对应与递进

上一课讲了预测的根据可以分两大类:第一大类,常识;第二大类,上文的内容和形式。实际上,第二大类里的内容很多,里边还可以按照预测的根据和方式分为几个小类。

第一小类,预测的根据是上文的部分内容,预测基本上是重复这一内容。如:

(1)他从小就对地理知识感兴趣,上中学以后,他最喜欢的就是地理知识。

例句(1)中第二个“地理知识”跟前一个“地理知识”比较近,是近距离重复;内容和形式完全一样,是原形重复。

(2)陆衡一向很讨厌叽叽喳喳的女人。那天晚上在我家开生日晚会的时候,我介绍他认识中学时的女生卢薇。听见卢薇叽叽喳喳地说话,他的脸上露出厌恶的表情。

例句(2)里“露出厌恶的表情”离前边的“讨厌”比较远,是远距离重复;跟“讨厌”同义不同形,又叫变形重复。

以上这两句话相同的地方是,其中的重复都是单项重复。

双项重复指一个语段里有两个地方重复前文。此外还可能有多项重复。如:

(3)他和小玲、贝贝是最好的朋友。小玲满二十岁时,把他和贝贝请到东湖边的茶馆过生日。贝贝满二十岁时,把他和小玲请到珠江上的渔船过生日。而他满二十时,请小玲和贝贝到上川岛的帐篷里过生日。

这段话由四句话组成。第三句话里,“他和小玲”是第一句话“他和小玲、贝贝”的部分重复;“过生日”是第二句话最后三个字的重复。第四句话里,“满二十时”,是前两句话中相应成分的部分重复;“小玲和贝贝”是第一句话的部分重复;“过生日”是前两句话相应部分的重复。重复的部分比较多,出现在语段的不同部分,使读者在预测时有了多种根据。

第二小类,预测根据是并列句式中意思的对应,或意思的递进。先看对应的例

子：

(4)城市的孩子应该尊重农村的孩子，不应该看不起农村的孩子。

例(4)的两句话意思基本相同，只是第一句话从正面说，第二句话从反面说。只要读完第一句和第二句的"不应该"，就可以预测出后面的大概意思。在这里，预测的根据是并列句式中意思的对应。

再看意思递进的例子：

(5)上小学他学习就不错，上中学成绩更好，读大学时，他是班里最好的学生。

例(5)有三个并列句式。其中三个时间词语(上小学，上中学，读大学时)，意思是递进的。后边的三个表述(学习不错，成绩更好，班里最好)，意思也是递进的。根据并列句式意义的递进规则，第三句的意思可以大致预测出来。

第三小类，预测的根据是句子之间的关系和表示这些关系的词语，将在下一课里详细讲解。

练习

阅读下面的句子，预测空格里的内容并写出来

1. 红茶以安徽省的祁红最有名，绿茶以浙江省的龙井______，乌龙茶以福建省的铁观音______。

2. 你知道吗？在大学里，本科生最活跃，活泼好动，横冲直撞；硕士研究生不修边幅，走路时还在思考；____________生活一塌糊涂，目光呆滞，常走错地方。

3. 上小学时，他喜欢看武打、动作类的电影，不喜欢看浪漫的爱情电影。上中学以后，他的兴趣全变了，喜欢看____________，不喜欢看____________。

4. 希望每个学生都能按时来上课，不要随便______、______。

5. 我们一定要记住：虚心使人进步，________________。

6. 如果你真的有事不能来上课，也不应该事后才来说，而应该____________。

阅读下面的文章，预测空格里的大概内容并写出来，然后选择正确答案

外国孩子感受中国

来自英国的小女孩珍妮和她的九个小伙伴在中国度过了一个很好的假期。珍妮是根据一个交换计划来中国的，住在南京市一个普通中学生明明的家里。

明明的父母亲知道珍妮要在家里住一段时间，就忙着做准备。他们准备好了刀叉，学着做西餐，因为他们害怕珍妮不喜欢吃中餐，不会使用______。但珍妮来了以后，却一定要吃______，一定要学习用______。明明的父母亲对珍妮特别好，把她当成自己的女儿。珍妮对他们也很好，叫他们______，______。

珍妮在英国时就很喜欢中国的传统服装——旗袍，还参观过一个旗袍展览。到南京以后，她跟着明明来到一个专卖店，买了______，说要穿回去给家里人和学校的同学老师看。来中国以前，珍妮和她的九个小伙伴在自己的城市种了十棵"友谊树"。离开南京以前，珍妮和______又在南京市郊种了______。

短短的假期很快过去了。珍妮在中国学到了很多东西，感受了中国的真实生活，开始喜欢这个古老而又现代的国家。离开南京时，她跟明明、明明的父母亲含泪告别，欢迎明明______。

1. 根据文章，有____个英国孩子在中国度过了一个很好的假期？
   A. 三个　B. 九个　C. 十个　D. 不知道
2. 文章没有说，但可以推测出来，从英国来的孩子最可能住在____个中国家庭里？
   A. 十个　B. 九个　C. 七个　D. 三个
3. 文章标题里的"感受"可以用下面哪个词代替？
   A. 体会　B. 感动　C. 享受　D. 认识
4. 根据文章，下面哪句话不是真的？
   A. 明明的父母亲喜欢珍妮
   B. 明明的父母亲知道珍妮不喜欢吃中餐
   C. 珍妮在中国学到了不少东西
   D. 明明带着珍妮去专卖店买东西

二、阅读训练

艾滋病人的婚礼

1997 年 6 月 28 日，在英国肯特郡的一个乡村教堂里，贾妮和内维尔举行了婚礼。婚后，他们将意大利的蜜月之行推迟了一个月，使亲友们觉得很奇怪。

原来，贾妮向双方父母隐瞒了一件极其可怕的事：她的丈夫内维尔在输血时被感染上了艾滋病毒，HIV 检测呈阳性。贾妮和内维尔都是成熟而有教养的公务员，能平静而有分寸地面对即将到来的严酷现实。年已三十三岁的贾妮，十分想生个孩子作为她和丈夫爱情的永恒纪念。然而，她很担心婴儿受到艾滋病毒的传染。

前不久，他俩无意中看到一本书，其中有一篇文章讲到，意大利米兰大学的奥古斯都等教授发明了一种“洗刷精子”的新技术，能把精子同其他物质，如白血球细胞、精液等分开，而大量的病毒恰恰是存在于精液之中的。他俩拿定了主意，在内维尔死亡之前，先创造出一个崭新的生命，以便让内维尔的生命在这个孩子身上得到延续。

于是，内维尔向米兰大学写了一封信，询问了有关的技术问题。接到回信后，他俩很快完成了对方要求准备的一切检测报告，开好了证明材料，并写下了自愿冒险的书面保证。最后，与对方商定，将手术日期定在 7 月的某一天，这就是他们推迟一个月去意大利米兰度蜜月的秘密。

目前，在英国至少已有三家医院开设了“洗精子”手术，同时，它们也向有关的夫妇介绍施行该手术的危险因素。比如说，在技术与设备条件都相当完善的美国医院里，就有两位丈夫在接受治疗后，他们的妻子仍被传染上了艾滋病毒。不过，从米兰大学奥古斯都教授那儿得来的消息却是令人鼓舞的。他本人治疗过五百多例 HIV 阳性丈夫，其中已有一百一十一人的妻子已平安生下了孩子，还有五十多位妻子怀了孕，并且还没有一位妻子或孩子受到了艾滋病毒的传染。

根据奥古斯都公布的研究资料表明，当妻子怀上没有接受过治疗的 HIV 丈夫的孩子时，大约有 7% 受传染的可能性。他说："我不能用'绝对安全'这个词，但该技术确实能较好地保护孕妇，使 7% 的百分比大大降低，同时保护婴儿不受传染。"

（根据《华商时报》改写）

选择正确答案

1. 贾妮和内维尔准备在哪里度蜜月？
   A. 英国　B. 意大利　C. 美国　D. 法国
2. 他们为什么把蜜月推迟了一个月？
   A. 内维尔感染上了艾滋病毒　B. 贾妮想生一个孩子
   C. 他俩都是成熟的公务员　D. 内维尔要到米兰大学动手术
3. 根据文章可以知道，如果丈夫传染上了艾滋病毒，他的妻子和后来生的孩子：
   A. 有可能染上艾滋病　B. 不可能染上艾滋病
   C. 肯定会染上艾滋病　D. 大部分会染上艾滋病
4. 根据文章内容，要做洗刷精子的手术，病人必须：
   A. 准备好所有的检测报告　B. 写愿意冒险的保证书
   C. 开好证明材料　D. A、B 和 C
5. 根据文章内容，艾滋病病毒不存在于哪里？
   A. 精子　B. 精液　C. 白血球细胞　D. 血液

生　词

蜜月　mìyuè　（名）　honey moon　新婚的第一个月。
推迟　tuīchí　（动）　把原来决定的日期、时间向后改动。
艾滋　àizī　（名）　AIDS　一种病的名称。
病毒　bìngdú　（名）　virus　病原体，能引起疾病，比细菌小，用电子显微镜才能看到。
检测　jiǎncè　（动）　检查，测量。
阳性　yángxìng　（名）　positive　看病时对进行某种实验得出结果的表示方法，说明身体内有某种病原体，或对某种药物有过敏反应。
教养　jiàoyǎng　（名）　upbringing; education　文化、道德、品质的修养。
精子　jīngzǐ　（名）　sperm　人和动植物的雄性生殖细胞，能运动，与雌性生殖细胞卵子结合而产生第二代。
延续　yánxù　（动）　延长，继续。

阅读 2

开　会

记不清从小到大开过多少会，记不清开过哪些会，记不清会议说了点什么。

我始终没搞懂的是为什么要开会，有时分明不想听别人说话，却开个听说话的会；有时分明报纸上写得明明白白，还得开个会，对人手一份的人们再读上一遍；有时，好像时间到了，比如一周一次为时间开会；有时好像什么东西该吃了它，为消费物质而开会。这些名堂可以说到天亮，中国开会理由之多，可以编一本《辞海》。

"会"是个深奥的词，一些不能办的事，一开会就能办了。比如上哪儿玩玩，极可能弄不到钱，一说开会就可以了。开会总是严肃的，有政治意义的，促进生产的，团结同志的，很辛苦很清苦的……所以，开会这个词有极高的使用率。

人们尽管住得很拥挤，但会堂总是很宽敞的。一个单位一个单位开，一个行业一个行业开。按性别开，按职业开，按年龄开，按级别开，按成就开。代表开，全体开。室内开，室外开，海上空中陆地开。大大地开，小小地开。无人不开，无处不开，无时不开。

于是，我们成了议论的好手，而不是行动的好手。我们可能没有其他的本事，我们至少有议论的本事。要是举办"开会比赛"，奖状怎么印都不够发，要是找一个学龄后从未开过会的人，恐怕难于找野人。开会成了我们国家最普遍的文化现象。

（根据陈村《今夜的孤独》改写）

一、文章有主句吗？如果有，请划出来

二、选择正确答案

1. 作者对开会的态度是：
   A. 他觉得开会是一件深奥的事　　B. 他认为开会很有用
   C. 不理解，反对　　D. 无所谓，这是个事实
2. 最后一段的意思是：

A. 因为中国人都善于议论，所以应该举行比赛

B. 中国人不是行动的好手，不知道怎么印奖状

C. 因为开了太多的会，中国人善于议论不善于行动

D. 在中国，连小学生和野人都开会

三、请用自己的话把划线的句子说一遍

生　词

名堂　míngtang　（名）　items　花样，名目。

深奥　shēn'ào　（形）　（道理、意义）难，不容易理解。

清苦　qīngkǔ　（形）　因为没有钱，生活得不太好（常用来形容读书人的生活）。

级别　jíbié　（名）　等级的不同，例如：HSK 分高级和初中级两个大的级别。

奖状　jiǎngzhuàng　（名）　发给比赛胜利者的证明书。

阅读 3

北京的"民间外交家"

北京西长安街街道，有一批不拿政府一分钱的"民间外交家"。他们在各自的家里，接待了数以千计的外国客人。他们是外国人观察、了解中国普通百姓生活的一个窗口。

上周五，二十多个芬兰人来到西城旧帘子胡同的黄大妈家，参观了黄大妈居住的小院，看了太阳能热水器和烧蜂窝煤的土暖气，并通过翻译，了解黄大妈退休后的生活。黄大妈告诉记者，她们家经常有外国客人来访。前不久，一位日本记者在她家呆了整整一天：早晨跟她一起去公园散步、练功，然后一同逛早市买菜，回来一起做饭，一起吃饭……直到晚上一起看《新闻联播》。

三十多户"民间外交家"中，资格比较老的一户是今年八十五岁的单成钧大爷。他担任"民间外交家"已经十一年了，接待了五千余位外宾，上至总统夫人、国会议员，下至普通游客，光记者就接待了几十位。单大爷说，当"民间外交家"一要实事求是，二要直言不讳，怎么想就怎么说。有一次，一个记者问到他台湾问题，他说："台湾自古以来就是中国领土。我的妹妹就生活在台湾，不幸身患疾病，我很想念她。我希望海峡两岸能早日统一。"

（根据《羊城晚报》1997年3月31日文章改写）

选择正确答案

1. 为什么说黄大妈他们是"民间外交家"？
   A. 他们住在西长安街　　B. 他们不拿政府一分钱
   C. 他们在家接待外国人　　D. 他们是外国人了解中国百姓的窗口
2. 根据文章内容，下面哪句话是真的？
   A. 上周五，一位日本记者在黄大妈家里呆了一天
   B. 上个星期五，二十多个外国人参观了黄大妈居住的小院
   C. 芬兰人跟黄大妈一起到公园散步、练功
   D. 日本记者参观了太阳能热水器
3. 根据文章内容，下面哪句话是错的？
   A. 单成钧出生于1912年
   B. 单成钧接待过总统和他的夫人
   C. 单成钧的妹妹在台湾生活
   D. 有三十多家人担任民间外交家

生　词

民间　mínjiān　（名）　人民中间；非政府，非官方的：她是学～文学的，要了解老百姓中的各种故事。

蜂窝煤　fēngwōméi　（名）　用煤粉和石灰或土混合做成，圆柱形，有许多上下贯通的孔，燃烧时产生热量，用于烧水、做饭、冬天取暖等。

退休　tuìxiū　（动）　职工因为年老或因公残疾而离开工作岗位。

国会　guóhuì　（名）　一些国家的最高立法机关或权力机关，成员一般由选举产生。又叫“议会”。

第四十七课

一、技　　能

预测之四：句子之间的关系和连词

这一课的内容是，根据句子之间的关系，对表示这些关系的词语进行预测。先看例句：

(1)爸爸不让我到河里游泳，可我偏要去河里游泳。

在例句(1)里，“可”和“偏要”是关键性词语，读到“可我偏要”，就知道下面的意思跟前一分句里爸爸的意愿完全相反。

句子之间的关系有很多种，如因果关系、选择关系、转折关系，等等。这些关系往往用固定的词语表示，抓住这些词语，预测就比较容易。先看表示转折关系的句子：

(2)峨眉山是中国四大佛教名山，虽然他就住在峨眉山旁边，但是他从来没有上过峨眉山。

通过“虽然……但是……”和前两个分句的意思，就可以预测出后一分句的意思。

表示转折关系的连词还有：“尽管……但(可)是……”、“可是”、“却”、“不过”、“然而”等。

再看选择关系的句子：

(3)我们宿舍前有篮球场、羽毛球场，下课后，我们要么打篮球，要么打羽毛球。

表示选择关系的连词还有：“或者……或者……”、“是……还是……”等。

下面是表示因果关系的句子：

(4)在电影院门口，妈妈问我：“李晴呢?”我答道：“他公司晚上要开会，所以不能来看电影了。”

通过上文和表示结果关系的“所以”，后面的意思很容易就能推测出来。

表示因果关系的连词还有：“因为……所以……”、“由于”、“因此”、“既然……

就……”、“可见”等。

当然，有的句子、文章片段包含多个句子，多种关系。阅读时要抓住关键性的连词：

(5)我们本来准备明天去白云山旅游，可是今晚的天气预报说，明天有大暴雨，所以，我们只得取消这个计划了。

看见“可是”就知道情况有变化；读到表示原因的分句和“所以”，预测就不难了。

除此之外，对其他一些句子，如表示并列关系的句子（又……又……、既……又……、也……也……、一边……一边……、一方面……另一方面……），表示目的关系的句子（为了、以便、好、以免），表示假设关系的句子（如果……就……、要是……就……），表示条件关系的句子（只有……才……、只要……就……）等，也可以通过预测来提高阅读速度，提高理解率。

练习

阅读下面的句子，预测空格里的内容并写出来

1. 这个周末我要加班一天，或者星期六，____________________。

2. 平时医院里人比较多，医生做医生的工作，护士做护士的工作。战争时期，人手不够，所以她又当医生，____________________。

3. 同学喜欢这门课有两个原因：一，课本的内容有意思；二，老师____________。

4. 虽然汉字比较难学，但只要刻苦学习，就________________。

5. 现在快考试了，每一课都很重要。明天就是下再大的雨，我也要____________。

6. 哪怕是最热的天气，深山里的夜晚也是________________。

7. 开车的时候一定要小心，以免______________________。

8. 这本书的内容非常难，连大学生都____________________。

阅读文章，预测空格里的内容并写出来，最后选择正确答案

读了昨天《健康之友》专版上关于纯水的文章，说了纯水的种种好

处。我认为这只是一家之说。我的看法是，纯水虽然对人的健康有一些好处，但同时也存在________________。

纯水，也就是市场上的蒸馏水、太空水、超纯水等，主要是通过蒸馏和逆渗透技术对水进行净化。这些技术在去除水中有害杂质的同时，也把一些对人体有益的微量元素________________。人体如果缺少这些微量元素，营养就会失去平衡。人体需要的微量元素，有些可以从日常食物中取得，有些却不能________________。因此，从饮水中取得微量元素是最简便的方法。如果纯水大量进入家庭，成为人们日常生活的惟一饮用水，人们就会像偏食的儿童一样，因为缺少某些必要的微量元素而出现________________。所以，我不同意该文所说："人喝水并不是为了摄取营养。"

此外，喝纯水还有________________。密封的水桶开封以后，里边的纯水如果在二十四小时内喝不完，就会出现细菌，产生污染，因为纯水对细菌没有任何的抵抗能力。喝了这种________________，对人体不但没有好处，反而会有________________。

（根据 1997 年 7 月 14 日《羊城晚报》陈景国文章改写）

1. 第一段的"一家之说"跟下面哪个词组意思最接近？
   A. 一家人的说法　　　　B. 一个专家的学说
   C. 一种不全面的说法　　D. 一个家庭的说法
2. 第二段里的"简便"是什么意思？
   A. 简明方便　B. 简单便宜　C. 简明便宜　D. 简单方便
3. 第三段的"偏食"可以用下面哪个词语代替？
   A. 偏要吃某种食物　　　B. 只吃自己喜欢吃的几种东西
   C. 偏偏不吃某种食物　　D. 喜欢偏着头吃东西
4. 根据文章内容，纯水的好处是：
   A. 杂质很少　B. 经过蒸馏　C. 使用逆渗透技术　D. 营养丰富
5. 根据文章内容，下面哪一点不是纯水的缺点？
   A. 人喝多了体内营养不平衡　B. 开封二十四小时后容易被污染
   C. 大量进入普通人的日常生活　D. 缺乏一些人体需要的微量元素
6. 本文的主要内容是：
   A. 告诉大家有关饮用水的知识　B. 完全否定一篇文章的观点
   C. 批评《健康之友》　　　　　D. 说明纯水最容易污染

二、阅读训练

阅读1

女人和女人不一样

女人很容易被男人描述成同一类动物,比如说,她们爱穿漂亮衣服,爱说三道四,爱减肥。但只有女人自己知道,女人和女人其实不太一样。造成这些不一样的可能会是很多原因,比如年龄问题,可能还有姿色问题,它们都会在某种程度上决定一个女人的生活态度和方式。我们的调查显示:受教育程度是决定一个女人成为什么样的女人的关键。

我们发现:受教育程度越高,其忙于工作的时间越多;而忙于家务或照顾孩子的时间越少。一方面是由于学历越高,社会为她们提供的就业机会越多;另一方面,主观上学历越低的女人越主张认为"女性应以家庭为主",越不主张"应以工作、学习为主"。相应地,学历越低(比如初中及以下者)的女性越倾向于将她们的幸福维系在"家庭和睦"(41.7%)、"孩子听话"(13.1%)、"有房"(6%)和"有钱"(23. 8%)上;学历越高(比如大专及以上者)的女性则更倾向于将自己的幸福维系在"愉快、开心"(34.8%)、"身体健康"(30.4%)和"家庭和睦"(30. 4%)等方面。

在业余生活方面,文化水平越高的女性越少看电视,越多做运动或健身。文化水平越低的女性越爱化妆,文化水平越高的女性越爱逛街。

在赚外快方面,学历越高的女性越多地做兼职(按学历由低到高排列分别为1.2%、3.9%和4.3%),而学历越低的女性就越多地通过做生意(8.3%、2.8%和0)或炒股(2.4%、1.7%和0)来补贴家用。

(摘自1997年7月18日《南方周末》)

选择正确答案

1. 作者认为,造成女人跟女人不一样的主要原因是:
   A. 年龄　B. 姿色　C. 受教育程度　D. 身体健康
2. 根据文章内容,学历低的女性有多少人认为幸福就是孩子听话?

A. 41.7%　　B. 13.1%　　C. 6%　　D. 23.8%

3. 根据文章推测，下面哪句话是错的？
   A. 文化水平越低的女性越爱看电视
   B. 文化水平越低的女性越少做体育运动
   C. 文化水平越高的女性越不爱化妆
   D. 文化水平越低的女性越爱逛街
4. 这篇文章的作者的态度是怎么样的？
   A. 实事求是的　　B. 感情丰富的　　C. 批评的　　D. 讽刺的

生　词

描述　miáoshù　（动）　形象地叙述。
姿色　zīsè　（名）　（妇女）美好的容貌。
维系　wéixì　（动）　维持联系。
补贴　bǔtiē　（动）　从经济上帮助。
炒股　chǎogǔ　转手买进卖出股票，以获取利益。

阅读 2

一场感人的人生音乐会

这是一场人生的音乐会，主旋律是善良的人格和美好的情操。它的另一个译名《生命因你动听》应该是更好地为观众铺就了一道美丽的河床，让我们的情感和思绪在其中像清泉一样流淌。《生命交响曲》被美国影评界称做“最感人的作品”。

这部影片讲述的是一位普通美国音乐教师贺文在三十年的教学中如何对他的学生付出心血和真情的故事。贺文不是一个天生的教育天才和理想主义者，他的教学和生活本来是很平凡的。他的学生音乐素质不高，他的家庭也并不幸福圆满。贺文的人生光彩，就在于他以心地的善良、诚实和正直去处理这些矛盾。

贺文的一个女学生因为掌握不好乐理而打算放弃音乐。贺文没有因此便放弃对她的责任，而是启发她热爱音乐的乐趣。他问她：你最喜欢自己身上哪个部位呢？女学生回答：头发，因为父亲常说她的头发像美丽的晚霞。贺文就说：那么你在吹奏一首优美的乐曲时，闭起眼睛，不

用看乐谱，去想像那片晚霞吧！他越来越用心地去启发他的学生，一个又一个男孩和女孩在他的引导下，学会了爱音乐，也学会了爱人生……

《生命交响曲》委婉、亲切而抒情，用的是平凡的叙述手法，温馨的激情使观众渐入佳境。影片最后，贺文老师退休了，当似乎是凄凉的晚景到来时，一场料想不到的音乐会却让他感受了人生的辉煌。原来，他三十年中教过的学生从四面八方赶回来了，他们给贺文老师一个惊喜：为他专门举行了一场热烈而隆重的告别音乐会，演奏的是贺文自己创作的《美国交响乐》，而主持人竟是现任女州长、当年想像"美丽晚霞"的女学生……《生命交响曲》最终的成功也在这里，每一个观众都如亲临其境，参与到这一场音乐会中，和贺文老师的学生们一起分享一份人生的喜悦、音乐的喜悦和人性美好的喜悦。

（据1997年7月23日《羊城晚报》萧尔斯文章改写）

选择正确答案

1. 本文介绍的是：

A. 两部美国电影　　B. 一场音乐会　　C. 一个电影　　D. 一个音乐教师

2. 根据文章内容，音乐教师贺文最大的特点是什么？

A. 他的学生音乐素质不高　　B. 用心血和真情去教育启发学生

C. 是一个理想主义者和教育天才　　D. 他的家庭生活不幸福

3. 在文章第三段里,"放弃"的意思是什么?

A. 放开手脚　　B. 丢掉不要　　C. 放大　　D. 放松

4. 根据本文,《生命交响曲》的特点是:

A. 动作性很强　　B. 充满激情　　C. 讲述平凡　　D. 热烈而隆重

5. 本文提到的音乐会是在什么时候举行的?

A. 贺文退休时　　B. 学生毕业时　　C. 学生当州长时　　D. 人生辉煌时

生　词

人格　réngé　(名)　人的道德品质。

天生　tiānshēng　(形)　天然生成的。

放弃　fàngqì　(动)　丢掉、不要(原有的东西,如权力、主张、计划等)。

责任　zérèn　(名)　duty　份内应该做的事。

委婉　wěiwǎn　(形)　mild and roundabout　温和而曲折。

凄凉　qīliáng　(形)　dreary; desolate　寂寞冷落:他晚年一个人过,生活很~。

阅读 3

香港国际会议频繁

回归祖国后的香港,今年下半年平均每两天将举行一次国际会议和国际展览。这意味着世界对香港回归祖国后继续保持国际金融、贸易、旅游、信息中心的地位充满信心。

据新闻及广播中心提供的最新数字:今年7月1日至年底,香港将举行57项国际会议和30项国际展览。这些会议和展览项目包括工业、商业、通讯、海运、时装、旅游、教育、舞蹈、宗教等。

据介绍,香港今年下半年举行的一系列国际会议和国际展览中,最引人注目的是两大国际金融机构的空前盛会——1997年世界银行和国际货币基金组织的联合年会。这个年会将有181个国家的300多位财政部长、中央银行行长和1.3万名国际金融界人士出席。

据悉,许多国际组织看好香港,已将未来几年的年会安排在香港举行。从1997年7月1日至2006年底,确定在香港举行的国际会议已经达到120多个,国际展览为450多个。大部分国际会议和国际展览将在香港会议展览中心举行。

（摘自1997年7月7日《北京晚报》）

选择正确答案

1. 本文的主要内容可以用下面哪句话表示？
   A. 1997年下半年，香港平均两天举行一次国际会议和展览
   B. 从回归到2006年，决定在香港开的国际会议达到120多个
   C. 国际会议和展览频繁，世界对香港充满信心
   D. 从回归到2006年，决定在香港举行的国际展览达450多个
2. 根据文章内容，香港将保持哪些国际中心地位？
   A. 工业、商业、通讯、时装等　B. 金融、贸易、旅游、信息
   C. 旅游、教育、舞蹈、宗教等　D. 世界银行和国际货币
3. 1997年最大的国际会议将有＿＿＿＿＿＿人参加。
   A. 300多　B. 480多　C. 1300多　D. 13000多

生　词

意味着　yìwèizhe　（动）　含有某种意义：人民生活水平的提高～国民经济发展情况很好。
空前　kōngqián　（形）　以前没有过的。

第四十八课

一、技　能

评读之一:区别事实与意见

前面我们的阅读技能训练主要集中在字面(包括词义和句法)理解、篇章内容和结构理解。现在,我们将引入评价性阅读(简称评读)技能训练,这是较高层次的阅读技能训练。评读需要在了解文字形式和内容的基础上,对一篇文章进行分析、判断和评价,这需要读者的文化背景知识和阅读理解的相互作用。评价性阅读包括评论信息的真实性、事件的可能性和结论的合理性;也包括判断作者的写作意图,以及他为了表达自己的意图而采用的语气和文章风格等。评读跟读者本人的知识结构和思维能力有很大的关系。本教材只设计了两个技能训练:本课的"区别事实与意见"以及下一课的"判断作者的目的、态度和语气"。

在阅读时,读者应该具备区别文章作为论据所引述的事实和作者本人的意见的能力。许多作者把事实和自己意见的陈述放在一起,有时读者很难把它们区分开来。事实是不容置疑的,而意见却是可以讨论、争论甚至反对的。请看以下例子:

> (1)烤乳猪原来各地都有,清代的满汉全席里就有这道菜。(2)后来别的地方渐渐没有了,只有广东一直盛行,大饭店或烧腊摊上的烤乳猪都很好。(3)烤乳猪如果抹一点甜面酱卷薄饼吃,一定不比北京烤鸭差。(4)可惜广东人不大懂吃饼。

第一句和第二句是事实,第三句和第四句是作者的意见。事实就是真相,经得起观察和验证:我们可以找到清代的资料证明当时全国都流行吃烤乳猪,而现在的情况也是众所周知的。相反,意见反映了人的信念、感觉或价值判断,是不能被客观地核实的:每个人对食物的感觉都不同,肯定有不少人认为不抹甜面酱的烤乳猪更好吃。

当然,正确的意见是在事实的基础上提出的;但没有事实根据的主观意见也很常见,而如果这意见正好是读者的意见,那么读者就比较容易混淆意见和事实。假如你也觉得广东人不爱吃饼是一件很可惜的事情,那么,你就很可能会错误地认为第四句话是事实。总而言之,读者要对事实和意见之间的区别保持敏感,防止被作者或自己的意见误导。

练习

区别事实和意见(写句子的序号)

(1)在我对美国的访问中,我能见到的美国黑人越来越少了。(2)在我的那些根本不在乎肤色的白种朋友的家里,我所能遇到的也只是一些来自非洲的黑人,很少能遇到一位美国黑人。(3)现在居住在美国、曾有反种族主义背景的非洲白人几乎没有黑人朋友。(4)究其原因,看来是美国黑人不想与白人搅在一起。(5)我想,那个古老的答案不仅仍然适用,而且,由于美国人熟悉的那些原因,人们对这个答案的感受似乎更加深切了。

事实:

意见:

(1)从仰韶、河姆渡文化遗址看,早在约七千年以前,农业就成为中国的主要经济部门。(2)后来,历代统治者都把重视农业视为基本的政策。(3)传统中国虽然有"士、农、工、商"四个阶层,但不仅农民始终占绝对多数,而且其他三个阶层都依靠"农"而存在。(4)直到现在,农业人口还占中国人口的70%以上,因此农业对中国的影响是十分巨大的。(5)有人从中国、西欧和印度三大文化系统比较的角度,认为中国文明既不是古希腊式的商业文明,也不是印度式的森林文明,而是一种田园诗式的田园文明。

事实:

意见:

(1)我在学校图书馆社科阅览室见到这么一个书单,现抄录如下:

(2)①《我的父亲邓小平》,上卷;②《邓小平的历程——一个伟人的一生和他的世纪》;③《邓小平文选》,青年读本;④《毛泽东的读书生活》;⑤《哥德巴赫猜想》;⑥《中国桥魂——茅以升》;⑦《中国现代科学家传记》,第一集;⑧《从鸦片战争到五四运动》,缩写本;⑨《中华文化精粹丛书》;……⑮《钢铁是怎样炼成的》

(3)这是清华大学图书馆为了配合北京市高等学校“读百卷书，激爱国情”的读书工程而组织的征文活动中提供的推荐书单，并增加了一个主题为“知我中华，爱我中华”。(4)所推荐的书，无疑都是好书，但有不少似乎是我们在高中时就该读的。(5)例如，胡绳先生的名著，不知为什么现在才推荐我们去读“缩写本”。(6)又不知为什么推荐俄国人的小说《钢铁是怎样炼成的》，它对当代大学生的影响如何，待考。

事实：

意见：

二、阅读训练

阅读 1

奇特的女书

女书，是中国湖南省南部江永县潇水流域中流传的文字，而且只在当地的妇女中流传，是妇女的专用文字，没有进入学校。妇女们使用这种文字记录自己的经历，给女朋友写信，有时也记录一些历史和故事。在当地，女书又叫女文、女字或蚊脚字，而现行的方块汉字被他们称为“男字”。

文字从来源上分类，一般有两种：一是独创的文字，叫自源文字；一是依据其他文字改制成的文字，叫借源文字。有的专家对所有女书用字进行统计分析：发现其中80%的字是借用汉字、汉字的一部分或将它们加以改造而成。也就是说，女书是一种借源文字。女书可用一千个左右基本单字较完整地记录江永地区有三百多个音节（包括声调有一千一百个左右）的土话，因此女书是一种单音节音符字表音文字。妇女文字不仅在外观风格、字体结构上，而且在记录语言的方式上即文字的本质属性上都完全不同于方块文字。

目前，江永县铜山农场河源村等地还有一些老年妇女能写、会唱女书。但能够使用这种奇特的文字的妇女已经越来越少了，也就是说女书是一种正在走向灭亡的文字。

（根据《奇特的女书》改写）

选择正确答案

1. 关于从前的江永地区，下面哪个说法是对的？

   A. 只有没上过学的人才学女书

   B. 江永地区的妇女可能没有上学的机会

   C. 江永地区的妇女都会写女书

   D. 江永地区只有男人才会写汉字

2. 关于女书，下面哪个说法是错的？

   A. 只有妇女才学、才使用女书　　B. 将来可能没有人使用女书了

   C. 女书看起来很像方块汉字　　D. 现在有专门研究女书的专家学者

3. 关于这篇短文，下面哪个说法是对的？

   A. 这篇短文里作者完全没有发表意见

   B. 作者的意见是妇女应该有自己的文字

   C. 作者对女书就要消失感到很可惜

   D. 作者认为女书是一种借源文字

4. 关于汉字与女书的区别，下面那种说法是错误的？

   A. 汉字与女书的外形不一样，但都是表音文字

   B. 80%的女书文字跟汉字有关系

   C. 汉字是表意文字，女书是表音文字

   D. 汉字的数目比女书文字多得多

生　词

流域　liúyù　（名）　valley　一个水系的干流和支流所流过的整个地区。

土话　tǔhuà　（名）　local dialect　小地区内使用的方言。

外观　wàiguān　（名）　apprearance　从外面看的样子。

灭亡　mièwáng　（动）　die out　不再存在。

阅读 2

关于战争的隐喻

语言中存在着大量的战争隐喻，例如我们常说：

——情场就是战场。

——人生就是一场战斗。

——中国队这次派出了强大的阵容。
——他们的对话火药味很浓。
——我们要用科学思想武装自己的头脑。
——人最难战胜的就是自己。
——毕业生已经进入了临战状态。
——政府受到反对派的攻击。
——中国队在昨天的比赛中又败下阵来。

人类是好战的，日常语言中的战争隐喻保留了历史的血迹。好战的人甚至想到了嘴唇和舌头也是武器：唇枪舌剑，既是战争的结果，又往往是引起战争的原因。人们认为语言是一切人为的灾难的原因，也许是有道理的。因为语言传播人类欲望，而欲望引起战争，而且语言本身就相当好战，它通常被当做“人生斗争的武器”，被当做伤人或杀人的刀子。

（根据忆沩《我们赖以生存的隐喻》改写）

把短文中跟战争有关的词语划出来

以下句子跟短文中例举的一些句子意思相同或相近，请在短文中找出相对的句子

1. 他们的意见相反，说话越来越不客气。
2. 7月7～9日考试，现在已经是1日了，考生们进入最后的复习。
3. 韩国队昨天再次以微弱的优势赢了中国队。
4. 这次中国队派出了最好的运动员参加比赛。
5. 我们要学习科学，做一个有思想有知识的人。
6. 谈情说爱就像打仗一样。

选择正确答案

1. 为什么作者认为语言是引起战争的原因？
   A. 因为语言就是枪和剑　　B. 因为语言可以伤害人
   C. 因为语言传播欲望　　D. B和C
2. 作者对战争的态度是：
   A. 反对　　B. 赞成　　B. 无所谓　　D. 看不出来

3. 关于语言和人类,作者不认为:

A. 语言是人类的工具　B. 人类好战,所以语言有大量战争的隐喻

C. 人类的战争都是有道理的　D. A 和 C

生　词

隐喻　yǐnyù　(名)　metaphor

情场　qíngchǎng　(名)　the arena of love　跟谈情说爱有关的事。

阵容　zhènróng　(名)　battle array, line up　队伍作战的外貌,队伍所显示的力量。

好战　hàozhàn　(形)　bellicose, warlike　喜好战争。

唇枪舌剑　chúnqiāngshéjiàn　cross verbal swords, engage in a battle of words　形容争论激烈,言语不客气。

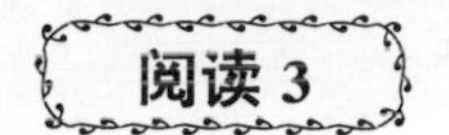

最好的介绍信

一位先生在报纸上登了一个广告,要雇佣一名办公室工作人员。约有五十多个希望得到这个工作的人前来和他见面,但这位先生却只挑中了一个男孩。"我想知道,"他的一位朋友问,"你为什么喜欢那个男

孩，他既没带一封介绍信，也没受任何人的推荐。”

“你错了，”这位先生说，“他带来了许多介绍信。他在门口蹭掉了鞋子上带的泥土，进门后随手关上了门，说明他做事小心仔细。当看到那位残废老人时，他立即起身让座，表明他心地善良、体贴别人。进了办公室他先脱去帽子，回答我的问题干脆、果断，证明他既懂礼貌又有教养。

“其他所有人都从我故意放在地板上的那本书上跨过去，而他却拣起那本书，并放回桌子上。当我和他交谈时，我发现他衣着整洁，头发梳得整整齐齐，指甲修得干干净净。难道你不认为这些小节是最好的介绍信吗？我认为这比介绍信更为重要。”

（根据《读者》文章改写）

一、在短文中把那个男孩的“介绍信”——他的小节划出来

二、判断对错

(　　)1. 男孩是一个对别人很好的人。
(　　)2. 从男孩的衣着打扮看，他是一个有钱人。
(　　)3. 聘请工作人员的先生是个观察能力很强的人。
(　　)4. 那位先生不小心把书掉在地上。
(　　)5. 很多来见面的人有介绍信或推荐人。
(　　)6. 作者认为从小节可以看出一个人的品格和能力。

生　词

推荐　tuījiàn　（动）　recommend　把好的人或事向人或组织介绍，希望任用或接受。
蹭　cèng　（动）　rub, be smeared with　摩擦，因擦过去而粘上。
体贴　tǐtiē　（形，动）　considerate　细心考虑别人的心情和处境，给予关心和照顾。
果断　guǒduàn　（形）　decisive　有决断，不犹豫。
小节　xiǎojié　（名）　small matter, trifle　琐碎小事。

完型填空

中国人待客的礼仪

一个中国人到别人家里，主人会称呼他为“同志”，这是社会主义国

家的习惯；会跟他握手，这是西方的习惯，过去的中国人是不握手的；会请他(1)一杯茶，这是传统习惯。(2)，在短短的几分钟里，他们就显示出自己(3)了三种不同文化习惯的影响。

中国文化有三个来源：其中最深远、最长久的是传统伦理道德，千百年来虽然有(4)，(5)变化不大；(6)是具有中国特色的社会主义，虽然(7)四十年多一点的历史，但是得到政府法令和学校教育的支持；再次是西方影响，自19世纪中期开始，其中1949年到70年代减弱了一些，自改革开放以来(8)重新加强，在沿海一带西方影响特别明显。

1. A. 喝　B. 倒　C. 送　D. 递
2. A. 所以　B. 这样　C. 最后　D. 因而
3. A. 有　B. 感到　C. 受　D. 表现
4. A. 发展　B. 增加　C. 减少　D. 变化
5. A. 但是　B. 所以　C. 却　D. 而
6. A. 首先　B. 其次　C. 再次　D. 最后
7. A. 没有　B. 有　C. 只　D. 只有
8. A. 再　B. 还　C. 又　D. 就

第四十九课

一、技　能

评读之二:作者的意图、态度和语气

作者写一篇文章,总是带着一定的意图,不然他就不必写这篇文章。而且,作者在写一篇文章之前,总是对将要讨论或叙述的问题和事实持有一定的态度。最后,为了更好地实现他的意图,表达他的态度,作者会为他的文章选择不同的语气,形成特殊的文字风格。

意图就是作者希望通过写作达到的目标,例如:批评、开玩笑、辩护、质疑、教育等等。

态度就是作者对他正在涉及的题目的个人态度,他的态度可能是严肃的、迷信的、同情的、愤怒的、不满的等等。

语气就是读者感受到的、文字特殊的整体风格,它可能是严肃的、幽默的、沉痛的、客观的、感性的、嘲讽的、愤怒的等等。

需要注意的是,作者常常采取同步的语气来表达他的态度,如:

> 兴奋剂害了多少纯真健壮的青少年运动员,实在难以统计。这个恶魔在摧残运动员身心健康的同时,给世界体坛带来了丑恶、黑暗。它是一片乌云,遮住了奥林匹克五环的光辉,将体育引向令人愤怒而又沮丧的邪路。

显然,作者对它所介绍的事情持反对、愤怒的态度,而他所采用的文字风格也使我们感受到了他的愤怒,也就是说作者的态度和语气同步了,它们都是愤怒的。而有些作者却喜欢另一种方式,请看:

> 日前,到广州东山一家饭店吃饭,结帐之前,我问服务员小姐:“有没有牙签?”她立刻伸手从裤兜里取出牙签来。每人得到一份,牙签还带着她的体温。没想到牙签都保有体温,真是温暖服务!

这里,作者的写作意图是要批评这种服务,而他的态度也是不满的。但他没有使用批评时通常采用的严肃的语气,而是采取了轻松的、幽默的语气。

一般来说,文章的意图、态度和语气都不会被一清二楚地写出来,需要读者去感受、推测。这种能力是阅读中高水平的技巧。如果一个读者不能分辨作者的意

图、态度或语气，他就很容易对整个文章产生误解，即使他能明白每一个词和每一个句子。

我们的练习就是让读者判断作者的意图、态度或语气是怎样的。

练习

判断下面文章中作者的意图、态度或语气

早上九点，我逛北京灯市口的中国书店，见有《张岱年文集》、《张载集》各一本，黄裳的《银鱼集》两本，可我没有足够的钱。当日下午五点，我带上钱再去书店，发现上述几本书都被买走了。那本《张岱年文集》上午我还小心地藏在书架的最边上，让铁框挡着它，结果还是被人找到了。都说现在的人不读严肃的书，我不相信！好书还是有人读的，真好。

作者的态度是：愤怒的，遗憾的，愉快的，难过的

如果一群女孩毕业于男性占统治地位的艺术院校，老师都是男性的艺术家，她们的作品又受到男性批评家的赞扬，现在又参加了由男性美术赞助人和策划人主办的艺术展览，这是真正的女性艺术吗？如果是，那只是中国男性的女性主义，也算是一种中国特色吧。等到有一天，在北京召开了第一次"世界夫男大会"，并由女艺术家或女艺术批评家来主办一个男性艺术家展时，我们就能看到"中国女性的男性主义"了。

作者的语气是：愤怒的，严肃的，嘲讽的，客观的

用非现代化来否定古代英雄是很可笑的。按照这个观点，一个中学生就很有理由指责祖冲之为"科盲"。英雄只能属于他的时代，属于历史，而不是可以任意玩弄的泥娃娃。对历史人物的分析要走进历史。把历史人物放到现代只会不伦不类，对古代英雄也不公平。

作者的意图是：教育、质疑、辩护、嘲讽

一位有钱人去看一位哲学家，哲学家把他带到窗前，对他说："向外看，告诉我你看到了什么？""许多人。"有钱人说。

然后，哲学家把他带到一面镜子前，问："现在，你看到了什么？"

“我自己。”有钱人说。

“窗子和镜子都是玻璃，区别只在于一层薄薄的水银，”哲学家说，“但是就是这一点水银叫你只看到自己看不到别人。”

作者的意图是：批评、嘲讽、教育、开玩笑

二、阅读训练

阅读 1

千奇百怪的玻璃

回答问题

1. 讨厌擦玻璃的人可以用：
2. 可以抵抗 900℃高温的玻璃是：
3. 天气寒冷的地区可以使用：
4. 可以代替天线的玻璃是：
5. 有 5 毫米厚的玻璃是：

玻璃是一种用途广泛的材料，随着现代科技水平的提高，一些国家陆续研制出各种功能独特的新型玻璃。

反热玻璃　这是一种能够反射热量的玻璃。冬天在窗子上装上这种玻璃，能把室内散发到窗户上的热量反射回来，减少热量的损失，收到节能保暖的效果。

隔音玻璃　这种玻璃是用厚达 5 毫米的软质树脂把两层玻璃粘合在一起，它几乎可以把全部杂音吸收。

不碎玻璃　日本科学家发明了一种打不碎的玻璃。用氮代替玻璃中氧的成分，能提高玻璃的硬度，这种玻璃中氮的含量提高到 18.2%，它每平方毫米可以承受 1222 千克的力，还能耐 900℃的高温。

自净玻璃　这是一种能自动除去表面污渍的玻璃，它的表面涂了一种叫“光触媒”的透明膜，其主要成分是二氧化钛，能靠紫外线的能量将污染物的分子分解，它还具有杀菌作用。

防盗玻璃　这种玻璃是多层结构，每层之间有极细的金属丝，而金属丝跟报警系统连接。当盗贼将玻璃击碎时，立即会触响警报。

天线玻璃　日本试制出一种供家庭使用的电视天线玻璃窗户。安装好后，屋内的电视机就能呈现清晰的画面。

（根据《海外星云》1996年28期文章改写）

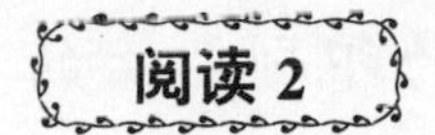
阅读2

广告的历史

做广告似乎是人类的天性之一。从5000年前的广告雏形到现在无处不在的电视广告，广告拥有一部丰富有趣的历史。

古代巴比伦人为我们留下了至今为止发现的最古老的广告遗迹——一块土板，上面雕刻了为油膏商人、抄写员和鞋匠所做的广告。据考证：这广告的诞生时间大约为公元前3000年左右。此后，人们又从埃及尼罗河畔出土的文物中发现，同一时期的古埃及人已经学会用莎纸草制成纸，用来做广告。

与上述两种广告的雏形相比，古希腊人的广告方式更有趣。当时希腊有一种人叫“城市传令员”(Town Crier)。每当有从远方回来的商船，船的主人就请这些传令员沿着大街小巷，以唱歌的形式向人们宣传商船带回来的美酒、香料和金属。这种方法后来演变为欧洲大陆最早的公共传播方式。在英国，这一传统延续了几百年。

大约公元1100年，法国的酒店老板又将传令员的形式进一步发展。他们为了推销自己店里的美酒，请传令员吹起号角，以吸引顾客并请大家当场品尝美酒。

1525年，德国出现了世界上第一个在正式公开发行的印刷品上的广告，这个广告推销的是一种药品。

1622年，第一张英文报纸在伦敦诞生。1625年，第一个报纸广告也随着出现。广告终于进入一个全新的阶段。

（根据《海外星云》1996年28期文章改写）

一、选择正确答案

1. 作者对广告的态度：
   A. 不太喜欢　B. 很喜欢　C. 很反对　D. 可以接受
2. "遗迹"的意思是：
   A. 遗憾的事迹　B. 留下来的事迹
   C. 留下来的东西　D. 遗憾的东西

二、填表：（有的栏目可空白）

时　间	做广告的人	广告形式、内容
3000B. C		形式： 内容：
	古埃及人	形式：
		形式：唱歌 内容：
1100A. D		形式： 内容：
	德国人	形式： 内容：
		形式：报纸

生　词

天性　tiānxìng　（名）　nature　天生具有的品质或性情。
雏形　chúxíng　（名）　embryo　未定型前的形式。
考证　kǎozhèng　（动）　textual research　研究历史问题或文献时，根据资料来考核、证实和说明。
延续　yánxù　（动）　continue, go on　照原来的样子继续下去。
号角　hàojiǎo　（名）　bugle, horn
推销　tuīxiāo　（动）　promote sales　推广货物的销路。

关于春节晚会

过年的习俗一直在变化，而大年三十晚上全家一边吃着年夜饭，一边围着电视看中央电视台的春节联欢晚会已经成了一种新的习俗。

今年的春节联欢晚会比以前大有进步，但是仍然让人感到不自然，或者在逻辑上让人感到奇怪。

如果要举例说明，例子也不少。像“走了太阳，来了月亮，就是晚上”这样的歌曲，恐怕太“自然主义”了，反而让人觉得不自然。也许是因为没有什么学问，我不得不承认自己看不出这样的歌词有什么好。这样的歌曲也能在全中国，甚至向国外播送，那么这世界上能当作家和艺术家的人就太多了。我就可以算一个。假如有人愿意用钱收买这样的作品，那么我成为“万元户”的日子就不远了。

假如要举出逻辑上让人感到奇怪的例子，歌舞《算盘歌》可以算一个。演员们在舞台上舞着想像中的算盘，边舞边唱：“哪个贪赃枉法，我一算就清。”原来贪赃枉法能用算盘算出来，那中国政府实在应该马上成立一个算盘部，立一个《珠算法》和《珠算学习班法》，由公安部门监督执行。

（根据丁泽《课本·幽默·春节晚会》改写）

选择正确答案

1. 作者的写作态度是：
　A. 提建议　　B. 批评　　C. 轻松的　　D. 严肃的

2. 作者写作的态度是：

A. 愤怒的　　B. 无所谓的　　C. 严肃的　　D. 难过的

3. 作者写作的语气是：

A. 愤怒的　　B. 客观的　　C. 嘲讽的　　D. 感性的

4. “想像中的算盘”是指算盘：

A. 是真的，跟大家想的一样　　B. 跟想像中一样好

C. 本来没有，但假装有　　D. 像假的一样

生　词

逻辑　luójí　（名）　logic

贪赃枉法　tānzāngwǎngfǎ　take bribes and bend the law　指官员接受贿赂，违反法律。

算盘　suànpán　（名）　abacus　一种计算数目的工具。

珠算　zhūsuàn　（名）　reckoning by the abacus　用算盘计算的方法。

阅读 4

大地的眼睛

从早到晚风风雨雨，寒气袭人。我不止一次地听失去爱人的妇女说起，仿佛人的眼睛往往要比知觉死得早。有时，临死的人竟会说：“怎么啦，我亲爱的，我看不见你们啦！”——这就是说眼睛已经死了，说不定一个时刻以后舌头也会不听使唤了。且说我脚边的湖吧，也正是这样。在民间传说中，湖就是大地的眼睛，这一点，我是早已经知道的。大地的眼睛要比万物更早地逝去，更早地感到日光的消失，在森林中刚刚展开争夺落日余晖的奇景的时候，在有些树木的梢头燃起了熊熊的火焰，宛如树木本身放的光，湖水却好似死了一般，就像一座埋着冰冷的鱼的坟墓。

雨，使得农民们苦恼万分。雨燕早已经飞走了。泥燕群集在田野上。天气已经冷过两回。椴树自根到梢完全黄了。遍地铺满了落叶。鹞鸟出现了。夜晚变长了……

（根据前苏联普里什文《大自然的日历》改写）

回答问题

1. 作者在一天中的什么时候感觉到湖是大地的眼睛？

2. 文章写的是什么季节？

3. 一天中的什么时候，大地"死"了？

4. 一年中的哪个季节，大地"死"了？

5. 树梢是树的哪个部位？

6."在有些树木的梢头燃起了熊熊火焰"，树木真的烧起来了吗？

生　词

袭　xí　（动）　raid

知觉　zhījué　（名）　sense

使唤　shǐhuan　（动）　叫人替自己做事。

余晖　yúhuī　（名）　傍晚的阳光。

坟墓　fénmù　（名）　埋死人的地方。

苦恼　kǔnǎo　（形）　agony　痛苦、烦恼。

第五十课

单元复习

旅游广告

根据以下广告内容填空

1. 你想游厦门、武夷山，如果钱和时间不太多，应该跟______联系，电话是______；如果钱和时间多都比较多，可以跟______联系。
2. 只游黄山要______天。如果你想便宜一点，应该______出发，联系电话是______。如果你只能星期天出发，需要交______钱，联系电话是______。
3. 如果你刚结婚，想跟爱人一起去桂林、漓江等地旅游，可以跟______联系，两个人需付______钱。
4. 如果你想去马来西亚、泰国、新加坡、香港、澳门旅游，联系电话是______，要交______钱，每月______出发。

中国康辉旅行社总社

(一)东南亚异国风情游

旅行路线	出团时间	价格(元)
泰国	每周一、四	4600
泰澳	每周四	6480
泰港	每周四	6680
新马泰	每月20日	8600
新马泰港澳	每月20日	10800

（二）国内旅游线路精选

旅行路线/时间/方式	出团时间	价格(元)
海南5日双飞	每周五	3500
昆明/版纳7日四飞	每周四	4550
长江三峡豪华游	每周一	3780
黄山四日双飞	每周日	2280
武夷山/厦门5日双飞	每周五	3480

注：出国旅游团请提前45天报名

出境旅游咨询电话：66180302、66189533、66188631－3241

国内旅游咨询电话：66186833、66189531－3242、3225

特价机票：66151633、66159435(免费送票)

地址：地安门西大街5号(什刹海体校内)

中国太和旅行社三九国际旅游部前门营业处

旅行路线	方式/时间	出团时间	价格(元)
昆明/大理/石林/版纳/缅甸	4飞8日	4月28日	4850
桂林/漓江/阳朔/冠岩	双飞4日	每周五	3250
厦门/武夷山	3飞6日	4月28日	3750
海南	双飞6日	每周五、六	3750
黄山一地	双飞4日	每周五	2180
泰山/曲阜	双卧4日	每周五	640

注：前四条线路在5月1日期间对新婚夫妇实行9.5折优惠

地址：北京市朝阳区呼家楼宾馆516室

电话：65928328、65928329、65068833－3402

地址：西城区百万庄子区38号楼302室(国家计委招待所)

电话：68315927、68325651

（根据1997年3月27日《中国青年报》改写）

生　词

异国　yìguó　(名)　其他国家。

风情　fēngqíng　（名）　local conditions and customs　特别的自然环境和风俗、习惯。

阅读 2

新加坡的气功热

判断正误

(　　)1. 新加坡不少人患有都市型疾病。
(　　)2. 一些新加坡气功师到中国教气功。
(　　)3. 练气功最多的是男人。
(　　)4. 练气功十八式和外丹功的人不算最多。
(　　)5. 有些医院已经开始用气功给病人治病。

新加坡是一个城市国家，生活比较紧张，不少人都患有都市型疾病，如心脏病、高血压病、癌症等。新加坡人正在寻找治疗这些疾病的方法，尤其是对中国的气功很注意。

这几年，有一些中国著名的气功师到新加坡访问，教气功。新加坡也有一些人到中国来学习气功。一个练习气功的热潮，正在新加坡华人中兴起。

十年前，新加坡人就开始学习太极拳，后来，又有人学习八卦气功、五禽戏。1984年，外丹功和气功十八式在新加坡流传，现在练这两种功的人最多。而练习气功的人估计已经有十万人，其中多数是家庭主妇，甚至有七十多岁的妇女。

每天早晨，在公园里，在住宅区的院子里，都能见到三五成群的人在练气功。在宏茂桥六道公园，练功的人最多。在草地上，有五六百人排着整齐的队伍，在教练指导下，随着优美的音乐，认真地练气功十八式。在公园另一角，有几百人在练外丹功。

一位医生说，一些著名的医院，已经开始用气功给病人治病，并且收到了良好的效果。

生　词

高血压　gāoxuèyā　（名）　hypertension；high blood pressure　一种病。
气功　qìgōng　（名）　qigong　中国一种特有的使身体健康的锻炼方法。

热潮 rècháo （名） upsurge 很多人积极参加的活动,形容热火朝天的形势。
流传 liúchuán （动） spread 传下来或传播开,很多人都知道了。

阅读3

早晨的空气是最新鲜吗

一般家庭都在早上起床后开窗换气,认为此时空气新鲜。其实,空气新鲜不新鲜,主要取决于污染的轻重,取决于污染源的多少。

当地面温度高于高空温度时,地面的空气上升,污染物容易被带到高空扩散;当地面温度低于高空温度时,天空中就容易形成"逆温层",它像一个大盖子一样盖在地面上空,使地面空气中各种污染物不能扩散。一般在夜间、早晨和傍晚地面温度低于高空温度时,容易出现逆温层,所以,此时空气最不干净。

白天太阳出来后,地面温度迅速上升,逆温层就会逐渐消散,于是污染物也就很快扩散了。据科学家们检测,在一天二十四小时中,上午、中午和下午空气污染很轻,其中上午十点至下午三四点空气最为新鲜,所以此时换气最佳;早上、傍晚和晚上空气污染较为严重,其中尤以早上七点左右为污染高峰时间,空气最不新鲜。

（据1997年4月3日《羊城晚报》文章改写）

选择正确答案

1. 根据文章,为什么一般家庭在早上开窗户换空气?
   A. 认为早上方便　　B. 觉得早上空气新鲜
   C. 早上天气冷　　D. 早上太阳刚出来
2. 第一段里"主要取决于污染的轻重"中的"取决"可以用下面的哪一个词语代替?
   A. 争取　B. 决心　C. 索取　D. 决定
3. 根据本文,什么时候开窗换气比较好?
   A. 早上和上午　B. 上午和下午　C. 下午和傍晚　D. 晚上和夜间
4. 根据文章,什么时候空气比较新鲜?
   A. 高空温度低于地面温度时　B. 地面温度和高空温度一样时
   C. 地面温度低于高空温度时　D. 风比较大的时候
5. 根据文章,逆温层的主要作用是什么?
   A. 像盖子一样盖在地面上空　B. 使污染物容易扩散

C. 使地面温度低于高空温度　　D. 使污染物不易扩散

生　词

源　yuán　（名）　source；cause　来源。
扩散　kuòsàn　（动）　diffuse　扩大分散出去。
逆　nì　（形）　contrary　向着相反的方向，跟“顺”相反。
检测　jiǎncè　（动）　check up；suvey　检查测量。

阅读 4

秦淮河畔的仿古婚礼

南京“秦淮人家”宾馆经理给我们看一张婚礼请柬。新郎和新娘是日本人，专程从日本来到这里，于 5 月 19 日在这家宾馆举行仿古婚礼。

1984 年以来，南京政府重建夫子庙，两岸著名建筑贡院、李香君楣香楼都先后恢复。秦淮河畔一公里多的中心风景段，一间接一间都是仿照明清建筑风格的楼房。

仿古婚礼这个旅游项目由“秦淮人家”宾馆于去年 9 月推出后，就有好几对美国和日本的青年到这里举行婚礼。国内青年到这里举行婚礼的也不少。5月12日，我们就参观过一次婚礼仪式。

这一天，一阵阵鼓乐声把人群吸引住了。只见夫子庙的旁门大开，四个身穿古装的轿夫抬出一顶彩色的轿子。轿子里坐着新娘和新郎，新娘头上盖着大红绸子，新郎身穿红袍。在吹鼓手的引导下，一路鞭炮，喜气洋洋地走过秦淮河上的文德桥，向一组古香古色的建筑群"走去"。我们好像回到三百年前的古代秦淮。

在宾馆的"夜泊楼"，我们采访了已换上婚纱和西装的新娘新郎。他们一边品尝南京风味菜，一边欣赏民族歌舞。新娘叫李邦凤，是金陵石油化工公司塑料厂的工人。她说，她爱好传统艺术，所以在自己人生最幸福的时刻，选择最具有民族风情的形式。

仿古婚礼使秦淮风光更增加乡土情调，旅游内容更具有历史文化色彩了。

(据1991年6月10日《羊城晚报》黄令华、梁茂艺文章改写)

选择正确答案

1. 在第一段里，这篇文章的主题词是什么？
   A. 秦淮人家　B. 婚礼请柬　C. 新郎新娘　D. 仿古婚礼
2. 文章第四段主要讲什么？
   A. 一次仿古婚礼的举行情况　B. 鼓乐声的效果
   C. 新郎穿什么，新娘盖什么　D. 什么人举行婚礼
3. 新娘的话主要说明了什么？
   A. 结婚是人生最轻浮的时刻　B. 她很爱好传统艺术
   C. 她为什么举行仿古婚礼　D. 仿古婚礼最有民族风情
4. 根据文章，参加婚礼的新娘新郎，在结婚那天至少应该穿几套衣服？
   A. 一套　B. 两套　C. 三套　D. 四套
5. 本文作者对仿古婚礼的态度是：
   A. 赞成的　B. 快乐的　C. 喜气洋洋的　D. 模糊的，不清楚的

生　词

请柬　qǐngjiǎn　(名)　invitation card　邀请客人时给客人的通知。
仿　fǎng　(动)　imitate;copy　模仿，按照已经有的东西去做。
仪式　yíshì　(名)　ceremony　举行活动、典礼的形式、程序。
鼓乐　gǔyuè　(名)　敲鼓和演奏音乐的声音。

轿子 jiàozi （名） sedan(chair) 一种交通工具，由人抬着走或由马驮着走。

阅读5

落花生

我们屋后有半亩空地。母亲说："让它荒芜着怪可惜，既然你们那么爱吃花生，就开辟出来做花生园吧。"我们姐弟几个都很喜欢，买种的买种，动土的动土，灌园的灌园。过了几个月，居然收获了。

母亲说："今晚我们可以过一个收获节，也请你们爹爹来尝尝我们的新花生，好么？"我们都答应了。母亲把花生做成几样食品，还吩咐在这园子的茅草亭子里过这个节。

那晚上天色不大好，可是父亲也来了，实在很难得。父亲说："你们爱吃花生么？"

我们都争着答应："爱！"

"谁能把花生的好处说出来？"

姐姐说："花生的味儿很美。"

哥哥说："花生可以榨油。"

我说："无论谁都可以用贱价买来吃，都喜欢吃它。这就是它的好处。"

父亲说："花生的好处固然很多，但有一样是最可贵的。这小小的豆儿不像那好看的苹果、桃子、石榴，把果实悬挂在枝上，鲜红嫩绿的颜色，令人一望而生羡慕之心。花生只把果实埋在地里，等着成熟，才让人挖出来。你们偶然看见一棵花生长在地上，不能立刻辨出它有没有果实，必须接触它才能知道。"

我们都说："是的。"母亲也点点头。

父亲接下去说："所以你们要像花生，因为它是有用的，不是好看而无用的。"

我说："那么，人要做有用的人，不要做只讲体面而无用的人了。"

父亲说："这是我对你们的希望。"

我们谈到夜深才散。花生做的食品吃完了，然而父亲的话却深深地印在了我的心里。

（根据《现代散文鉴赏辞典》许地山《落花生》改写）

选择正确答案

1. 这篇散文的写作方法是叙述与什么相结合？

   A. 描写　B. 抒情　C. 议论　D. 虚构

2. 这篇文章的语言特点是：

   A. 非常朴实　B. 很优美　C. 很有感情色彩　D. 非常深奥

3. 作者写这篇散文的主要目的是什么？

   A. 讲种花生的事　B. 写家庭生活

   C. 说花生的好处　D. 讲做人的道理

生　词

开辟　kāipì　（动）　把荒地变成可以种东西的地。开拓，扩展。
灌　guàn　（动）　把水送到地里，以便作物生长。
居然　jūrán　（副）　竟然，想不到。
吩咐　fēnfù　（动）　口头告诉应该干什么，怎么干。
难得　nándé　（形）　表示很难发生，不常常发生的。
榨　zhà　（动）　压出物体里的汁液，如水或油等。这种苹果汁是用新鲜苹果～出来的。
贱　jiàn　（形）　便宜；地位低下。
固然　gùrán　（副）　虽然；当然。
石榴　shíliu　（名）　pomegranate　一种水果。
体面　tǐmiàn　（形、名）　face; honorable; good-looking　身份，面子；光荣；好看。

第五十一课

一、技　能

扩大视幅之一：视幅与阅读速度

视幅是指眼球不动的时候，能识别文字数量的视觉宽度。

一般来说，阅读书上或报纸上一行汉字的时候，眼球通常要从左向右移动。从一行汉字转到另一行汉字时，眼球除了左右移动，还要上下移动。所谓"视幅"，就是眼球不移动时，能识别汉字的多少。认知的汉字多，视幅就宽，认知的汉字少，视幅就窄。

初学汉语的人，视觉幅度很窄，眼球不动时，通常只能识别一两个汉字。掌握了阅读技巧的人，视幅比较宽，眼球不动时能识别七八个以至十几个汉字。比如下面这段话：

1996年4月12日晚，南京扬子江大酒店非常热闹。

阅读这句话时，如果没有掌握技巧，视幅窄小，眼球可能要移动七八次以至十几次。如：

1996/年/4月/12日/晚，/南京/扬子江/大酒店/非常/热闹。

掌握了阅读技巧，视幅宽广，眼球移动两三次就够了。如：

1996年4月12日晚，/南京扬子江大酒店/非常热闹。

从上面的分析可以看出：视幅宽广，阅读速度快，学习效果好；视幅窄小，阅读速度慢，学习效益不好。从这一课开始，我们将学习扩大视幅的阅读知识，并进行相应的训练。

练习

阅读下列词和词组。阅读一个单位时，尽量保持眼球不动

明白　打扫　明天　码头　我去　别来　要走　写字　请坐

售货员　清洁工　黄浦江　鼓浪屿　录像带　珞珈山　本科生

舍不得　没关系　大不了　怎么样　一路上　来不及　闹笑话
大专院校　名胜古迹　上海外滩　新华书店　外语学院　经济地理
山清水秀　历史文物　琴棋书画　海峡两岸　不见不散　双向选择
足球邀请赛　五四青年节　公车私有化　豪华旅游团　列车时刻表
老师和同学　答应去天津　一张飞机票　黄瓜炒肉丝　打长途电话
汉语拼音方案　南京长江大桥　公安局签证处　留学生办公室
四川联合大学　漫游桂林山水　云南少数民族　对人生的思考
农村来的科学家　小孩当上了编辑　慢慢地坐了起来
公路撞车的事故　东北冬天的冰雕　《鸦片战争》的拍摄
值得称赞和批评　说话人的态度好　不应该骄傲自满
星期天晚上的宴会　他们要去重庆工作　我可不想麻烦别人
自己的事情自己干　参加了会计短训班　她一直不想告诉我
实行反烟草的规定　要借鉴保健的经验　提高人民生活水平

以斜线内或标点符号之间的词语为单位阅读下列材料并回答后面的问题

大山现在在哪里

大山是谁?许多北京人\和外地的朋友\可能都知道,大山是一个留学生,原来在北京大学\学习汉语。他汉语\说得特别好,有一种北京腔,北京味儿。

后来他还学习相声。不但学得很好,还可以跟中国的演员\一起登台表演相声。他的表演很有特色,常常逗得中国观众\捧腹大笑。

大山现在在哪里?有人说\他在北京大学,有人说\他在加拿大驻华使馆\工作。前几天,记者采访了大山,他笑着对记者说:“我1991年离开北大,在加拿大驻华使馆\工作了三年。现在开了一个公司,是自己当老板。公司的名字是:大山咨询与广告公司。虽然当了老板,还是舍不得相声。这次准备了\一个单口相声《漫话北京》,相信不久后大家一定会\通过这个相声\了解北京的历史。”

很多朋友都知道\大山娶了一个中国姑娘,他们在一起生活了四年,一直很幸福。宽容、沟通\和保持新鲜感,使他们过着\美满的婚姻生活。

刚过而立之年\的大山，儿子已经一岁半了。谈到做父亲的感觉，大山觉得\责任更重了："以前不管你多大，你总是父亲的儿子；可现在，自己也做了父亲，思想就完全改变了。"

（据1997年2月20日《广州文摘报》钟岩文章改写）

1. 大山1991年以前是在哪里？干什么？
   A. 在舞台上表演相声　B. 在北京大学学习汉语
   C. 在驻华大使馆工作　D. 在一个公司工作
2. 下面哪句话不是真的？
   A. 大山的表演让观众腹部疼　B. 大山的汉语说得非常好
   C. 大山有了一个孩子　D. 大山一直在北京大学学习
3. 大山什么时候离开使馆的？
   A. 1991年　B. 1993年　C. 1994年　D. 1996年
4. 大山现在在哪里工作？
   A. 北大　B. 加拿大驻华使馆
   C. 咨询与广告公司　D. 报社
5. 从文章可以看出，大山喜欢什么？
   A. 相声　B. 北京历史　C. 广告　D. 当父亲
6. 文章第二段的"沟通"跟下面哪个词意思最接近？
   A. 疏通　B. 通达　C. 了解　D. 通讯
7. 这段文章主要是讲什么？
   A. 大山跟一个中国姑娘结婚了　B. 大山有了一个儿子
   C. 大山最近几年的情况　D. 大山自己开了一个公司

二、阅读训练

阅读 1

地球的"内症"

人口爆炸、环境污染和资源短缺，严重威胁到人类的生存与发展，成为当前迫切需要解决的世纪性难题。据1994年联合国人口资料显示，到2050年，人口数字将达到125亿。庞大的人群为舒适而剜肉补疮，造成了地球的"内症"。据《光明日报》1月18日报道，水利部的专家调查表明：中国河流半数以上严重污染，其中有2400公里江河鱼虾绝迹，且水污染向深层发展。影响和危害最大的生态危机是由于燃烧有机原料而对大气层的污染，而“温室效应”更进一步强化了这种污染。随着无休止的“工业呕吐”，大量的有机燃料的燃烧，大气层中的二氧化碳及其他有害气体数量还在增加。

人类为了自身的需要，越来越多地消耗地球上的原始动植物资源。目前，每天至少消失140种植物和动物，每年有1700～2000万公顷的热带森林毁灭。这些热带森林好像地球的肺部，保持着空气中氧分的正常供应。

环境的极度破坏将给人类带来恶劣的影响。如果林木都砍完了，水土就一定会流失。如果水果筐中有一个烂水果，不出多少天就一定会影响全体。环境问题科学家说，现在连南北极也开始有了微量污染——世上已无一处幸免于污染。

我以为，人类如果不能积极地补养自然，至少也该停止无限制地开发。

（根据1997年3月7日《南方周末》伍立杨文章改写）

选择正确答案

1. 这篇文章的主要意思可以用哪一个段落的第一句话表示？
   A. 第一段　　B. 第二段　　C. 第三段　　D. 第四段
2. 第一段中“无休止”的意思是：
   A. 没有休息　　B. 不停　　C. 无止境　　D. 无休闲
3. 根据文章的第二段，下面哪句话正确？
   A. 热带森林多，空气里的氧分就少
   B. 每年还会有1700多公顷热带森林生长
   C. 每天有140种动物和植物消失
   D. 地球上原始动植物越来越少
4. 文章哪一段表达了作者的愿望？
   A. 第一段　　B. 第二段　　C. 第三段　　D. 第四段
5. 文章第三段说“如果水果筐中有一个烂水果，……”是为了说明什么？
   A. 南北极的污染很快会影响世界其他地方
   B. 南北极的污染是由世界其他地方影响的
   C. 环境污染会从一个地方传到另一个地方
   D. 环境污染会影响水果生产

生 词

威胁 wēixié （动） threaten 用威力强迫吓唬使人屈服：强盗用刀～我。

剜肉补疮 wānròubǔchuāng 比喻只顾眼前利益，用有害的方法救急。

绝迹 juéjì （动） vanish 断绝踪迹；完全不出现：恐龙早就～了。

有机 yǒujī （形） organic 跟生物体有关或从生物体发展而来的（化合物）。

二氧化碳 èryǎnghuàtàn （名） carbon dioxide 无机化合物，分子式 CO_2。

幸免 xìngmiǎn （动） 由于偶然原因而避免（灾难）。

阅读 2

跛

友人从美国来香港，很不幸的是，他来之前把脚摔断了，只好拄着拐杖走出机场。

“我下飞机的时候坐着轮椅，”他说，“海关人员对我特别客气，都很可怜我，所以行李也不用检查。”

后来我们就去尖沙咀某饭店喝酒。我在东南亚出生，很喜欢穿拖鞋，今天也不例外。

哪知服务员过来说：“先生，我们这里是不许——”他看着我的拖鞋，很不好意思地说。这种情形之下，第一是大发脾气，漫骂一场，第二是到别的地方去。

前者我不赞成，后者又嫌太麻烦。怎么办？

我马上按着脚，说："前几天脚底插了一根钉子，不能走路，你没有看见我现在是跛子吗？"说完，拿了友人的拐杖，放在身边，服务员立刻显出无限同情："我去和上级商量一下，一定不成问题。"

我点头道谢。果然，他们没有赶我走。

后来我去洗手间，还要假装成一跛一跛的，友人大笑，旁桌的人很不满地看他，以为他在取笑一个残疾人。

这就是人生的态度。吵起来大家不愉快，何必呢？不能穿拖鞋走进饭店，这也是规矩，与服务员本人无关，与他理论，费时费事；让人讲几句，马上低头走掉，又不甘心。

幸亏凡事总有幽自己或别人一默的解决办法。你说是不是？

（根据蔡澜《喝我》改写）

选择正确答案

1. "先生，我们这里不许——"指不许做什么？
   A. 穿拖鞋　　B. 进去　　C. 拄拐杖　　D. 喝酒
2. 作者写作的目的是：
   A. 开玩笑　　B. 讲道理　　C. 批评　　D. 讲故事
3. 作者是个怎么样的人？
   A. 严肃的人　　B. 骗子　　C. 幽默的人　　D. 残疾人
4. 本文的主要观点是：
   A. 凡事都有令大家都满意的解决办法　　B. 残疾人得到很多同情和帮助
   C. 去饭店千万不要穿拖鞋　　D. 残疾人要正确对待自己的残疾

生　词

跛　bǒ　（形）　腿或脚有病，走路的时候身体不平衡。
拖鞋　tuōxié　（名）　后半部分没有鞋帮的鞋，一般在室内穿。
发脾气　fāpíqi　因为不满意而吵闹或骂人。
漫骂　mànmà　（动）　乱骂人。
拐杖　guǎizhàng　（名）　跛子或老人为了帮助走路而使用的棍子。
残疾　cánjí　（形）　deformity　身体的某个或某些部位有缺陷。
理论　lǐlùn　（动）　争论，讲道理。
甘心　gānxīn　（形）　愿意，称心满意。

幸亏 xìngkuī （副） luckily
幽默 yōumò （形） 有趣可笑。

阅读 3

办公室设施的改革

办公室文员
正襟危坐的姿势，
科学家早就警告过，
这会使脊椎和腰部
处于长久负重状态，
日久天长，
加快衰老，
引起种种病态。

为了使文员们
在工作时处于
最佳的工作状态，
欧美设计家
已开始推出
最新的办公室设施，
准备在 21 世纪推广，
其中包括
特殊安置的电脑架
和躺着工作的躺椅。
躺着工作，
使脊椎和腰部的压力
减到最小，
并能使思想和情绪
处于活泼的状态中，
有利于创意和灵感
不断产生。

选择正确答案

1. 第一段“正襟危坐”的意思是：
   A. 危险地坐　　B. 端正地坐
   C. 衣襟整齐地坐　　D. 随便地坐
2. 据文章的意思，怎样会容易生病？
   A. 一般地坐　　B. 坐的时间很长
   C. 躺着　　D. 衰老的时候
3. 哪里的设计家开始推出新的办公室设施？
   A. 办公室　　B. 欧洲
   C. 美洲　　D. 欧洲和美洲
4. 第二段的“佳”是什么意思？
   A. 好　　B. 新
   C. 舒服　　D. 聪明
5. 文章第二段的主要意思是什么？
   A. 谁设计了新的办公设施
   B. 介绍特殊安置的电脑架
   C. 介绍躺椅及其好处
   D. 什么时候要推出新的办公室设施
6. 新办公室设施的作用是什么？
   A. 减少病痛，使身体健康
   B. 使思想和情绪处于活泼状态中
   C. 使脊椎和腰部的压力减到最小
   D. 使人的生理心理处于最佳状态
7. 文章最后的“创意”跟哪个词语最接近？
   A. 创造力　　B. 创业的意思
   C. 创作的意思　　D. 创造性的想法

（据 1997 年 3 月 26 日《羊城晚报》亦嘉的文章改写）

生　词

脊椎　jǐzhuī　（名）　人背部的主要骨架，由33块椎骨组成。

负重　fùzhòng　压着很重的东西。

设施　shèshī　（名）　facilities　为了进行某种工作或满足某种需要所必需的成套的建筑、物件（设备）、机构、系统、组织等。

活泼　huópō　（形）　lively；vivid　自然生动，不呆板。

灵感　línggǎn　（名）　inspiration　突然产生的有创造性的想法。

第五十二课

一、技　能

扩大视幅之二：阅读质量和习惯

扩大视幅不但能提高阅读速度，还可以提高阅读质量，减少疲劳。一个字一个字地阅读，表面上看起来很细心，实际上对理解文章并没有什么帮助，反而会影响阅读的质量，影响对文章内容的理解。比如说下面这段话：

生活在人群当中，必须要与人交往，学生也是一样。

掌握了扩大视幅的阅读，眼球动三次，一个词组一个词组地阅读和理解，很容易明白这句话的意思。如果一个字一个字的阅读，不利于双音节和多音节词的理解，也不利于词组的整体意义的理解，当然更会影响对整句话意思的掌握。有的句子很长，一个字一个字的阅读，读到后边，可能就忘了前面，更是影响阅读理解。

此外，一个字一个字的阅读，眼球运动很多次。每动一次就要辨认一次，并把字形和字义联系一次，很容易疲劳。如上面那段话，如果一个字一个字地阅读，眼球要动二十次；如果一个词一个词地阅读，眼球就要动十来次。这样读当然比较疲劳。如果眼球只动三次，相对来说就不那么疲劳了。

扩大阅读视幅是一种习惯，不是一两天就能训练出来的。开始学习和训练的时候，可能会觉得比较难。只要坚持下去，就会养成好的阅读习惯，就会尝到扩大阅读视幅的甜头。

要养成习惯，就要在阅读时坚持使用扩大视幅的方法。需要每天用这种方法阅读一段时间，如半个小时到一个小时。不要三天打鱼，两天晒网。开始的时候，会觉得用扩大视幅的方法阅读不习惯，这时就需要强迫自己，等到慢慢习惯了，就觉得很容易了。

练习

阅读下列词和词组。阅读一个单位时，尽量保持眼球不动

勇敢　用功　桂林　石林　聊天　王国　干扰　灾难　挂念

飞机场　博物馆　福建省　峨眉山　护身符　便携式　增长率

中草药　旅游团　电视台　早起床　大半夜　吃食堂　过马路
大手大脚　学习哲学　复习考试　坐出租车　年轻教师　唱歌跳舞
不断学习　中文考试　访问学者　在外边坐　出去谈话　正好没事
天安门广场　人民大会堂　虹桥体育场　中山纪念堂　西安大雁塔
大脑和心理　计算和试验　广泛的注意　隔墙偷听器　高科技产品
汉字可以治病　感到头晕恶心　估计收成很好　来信鼓励他们
原子能物理学家　科学技术现代化　到沙滩上晒月光　中国语言文学系
澳大利亚的猕猴桃　他的字谁也不认识　又一只气球被打破

下面有两段阅读材料，阅读时以行作为单位，即眼球不动时，阅读一行汉字；眼球移到下一行，再保持不动，阅读整行汉字

他
昨天
12点
来到学校。
走进校园后，
看到很多的树
和大片的绿草地，
他心里觉得很舒服。

我
总在
房间里
阅读小说，
听古典音乐，
看电视录像片，
不想去教室上课，
也不想跟别人说话。

以斜线内的词语为单位阅读下列材料然后回答后面的问题

本报讯　哈尔滨消息：人活百岁很稀奇，活到百岁还当老板/更是奇上加奇。已经一百零六岁的齐张氏/就是创造这个奇迹的"茶水老板"。

打60年代，哈市透笼街头/就摆上了/齐老太太的茶摊。从二分、五分一杯卖到一角、二角一杯，齐张氏/天天早出晚归，风雨无阻。透笼市场的/经济浪潮在茶摊前起起落落，各种新式饮料/不断出现。面对市场竞争，年岁渐高的齐张氏渐渐生出一种想法：找个打工仔，自己当老板。不久，一位小伙子/成了齐张氏的雇员。齐张氏经常来茶摊/向小伙子传授/几十年积累下来的"茶道"，如：不同的季节、天气/喝什么茶较好？不同的年龄、性别、职业/喝什么茶合适？齐张氏最爱讲的一句话是："茶要上等的，水要滚开的，杯子要透透亮亮的。"

就这样，齐张氏的茶摊/不但没有被周围的饮料、冰激凌吞噬，她还卖起了/鞋垫、塑料袋等，搞多种经营。

对明天，老人充满自信："凭现在的身板，我还能/再当几年老板！"

（据1997年4月1日《羊城晚报》新文文章改写）

1. 第一段里的"稀奇"的意思是：

A. 古里古怪　B. 稀里糊涂　C. 少而新奇　D. 稀薄而奇怪

2. 根据文章，齐张氏的一杯茶水从开始到后来涨价涨了多少倍？

A. 1倍　B. 2倍　C. 5倍　D. 10倍

3. 第二段的"透透亮亮"可以用下面的哪个词语替换？

A. 透明、明亮　B. 透气、明亮　C. 发光　D. 光光亮亮

4. 本文描写齐张氏，下面哪句话不是真的？

A. 她超过一百零五岁了　B. 她每天很早到茶摊，很晚才回家

C. 她摆了一个茶摊，只卖茶水　D. 她雇了一个年轻的男子帮她在茶摊工作

5. 从文章可以看出，作者的语气是：

A. 批评的　B. 客观的　C. 热情赞扬的　D. 讽刺的

二、阅读训练

阅读1

旅游广告两则

根据下面两则广告填空

1. 你有8天时间，准备花5000元，到____________旅游比较合适？
2. 你想到杭州旅行，可以跟____________旅行社联系，电话是____________，要交____________钱。
3. 你想到成都、九寨沟玩，可以跟____________旅行社联系，可能需要____________天时间。
4. 你打算参加泼水节活动，必须应该跟____________联系，必须____________出发。
5. 想到马来西亚旅游，可以打电话，号码是____________。
6. 不愿意坐火车在国内旅游的人，可以参加____________游，旅行社的地址是____________。

协力国际旅行社

隶属于中国人民政治协商会议全国委员会的协力国际旅行社（中央一类社），值农历“三月三”之际，特推出赴西双版纳参加泼水节活动，最后机会，报名从速。

旅行路线	方式/时间	出团时间	价格（元）
昆明/西双版纳/缅甸/石林/大理	4飞双卧8日	4月6日	4950
新加坡、马来西亚	北京出入境 8日	5月21日、23日	6800

我社另备有多条旅游线路，还可以代办护照、签证。欢迎来电询问！

电话：65270232、65272131、65277214

BP：62045533呼1717（中文） 66706666呼68888（中文）

地址：东城区南河大街111号（欧美同学会院内）

王府国际旅行社 （中央一类社）

以诚待客　以质取信　服务承诺　签约保证

旅行路线	方式/时间	出团时间	价格（元）
海南环岛游	8日双飞	4月30日	3600
张家界/茅岩河/天子山/黄龙洞	8日双卧	4月28日	1600
成都/乐山/峨眉/都江堰	7日双卧	4月21、28日	2280
黄山/千岛湖/杭州	8日双卧	4月26日	2360
西安/华山	6日双卧	4月29日	1630
成都/松潘/黄龙/九寨沟	9日双卧	4月26、5月9日	3080
成都/乐山/峨眉/重庆/三峡/武汉	9日双卧	4月26、5月9日	3350

以上线路报名从速，另备有国内外其他旅游线路，欢迎垂询洽谈。

电话：62049968、62054353　BP：64269988呼50831　传真：62054357

地址：海淀区花园路15号院办公楼二层王府国旅二部

（引自1997年3月27日《中国青年报》）

生　词

从速　cóngsù　（副）　赶快。

隶属　lìshǔ　（动）　be subordinate to　从属于。

代办　dàibàn　（动）　do sth. for sb　替人办理，帮助办理。

阅读 2

按生活需要选择吃的

精疲力尽吃什么？

可在口中嚼上一些花生、腰果等干果。这类食品对恢复体能有很好的功效。因为它们含有丰富的蛋白质、维生素C、E。

坐在办公室吃什么？

整天坐办公室的人日晒机会少，容易缺乏维生素D，需要多吃海鱼类、鸡肝等食物。

脾气不好吃什么？

一项有趣的实验证实，如果在不良少年的食物中加钙，就能减少其攻击性和破坏性。钙有安定情绪的效果。牛奶制品以及小鱼干等都含有丰富的钙质。

紧张吃什么？

有大的心理压力时，人体会消耗比平时多8倍以上的维生素C，所以应多吃富含维生素C的食物，如菜花、菠菜、水果等。

选择正确答案

1. 海鱼、鸡肝等含什么？
   A. 维生素B
   B. 维生素C
   C. 维生素D
   D. 维生素A

2. 根据文章，什么时候吃花生比较好？
   A. 整天坐办公室时
   B. 很累的时候
   C. 需要维生素C时
   D. 发脾气的时候

3. 根据本文，钙有什么作用？
   A. 恢复体能
   B. 补充维生素D
   C. 减少心理压力
   D. 使人的情绪得到安定

4. 根据本文，什么样的人需要喝牛奶？
   A. 脾气不好的人
   B. 整天坐办公室的人
   C. 怕喝醉酒的人
   D. A和C

(据1997年3月13日《广州文摘报》同名文章改写)

生　词

蛋白质　dànbáizhì　(名)　protein　天然的高分子有机化合物，是生命的基础。
胆固醇　dǎngùchún　(名)　cholesterol　生物体里的一种物质：他的～太高，容易得病。

脾气　píqi　(名)　temperament;disposition　性情,性格。

阅读 3

周璇答记者问

周璇,生于 1918 年,是中国 30～40 年代的最著名的电影明星之一,她唱的歌特别受欢迎,被称为"金嗓子"。以下是 1949 年她接受记者采访的记录。

问:你和白杨是学生们最喜欢的女演员,他们羡慕你,你高兴吗?

答:当然高兴。他们羡慕我,我羡慕他们,他们是一群时代骄子。啊,学生生活,我是一个失学的人。

问:人家称你为"金嗓子",当你唱歌的时候,你认为你有什么特殊的地方,请你坦白说,是否名副其实?

答:只有惭愧!唱时没有什么特殊的地方,不过在没唱之前,总是先体会一下歌词的意义。"名副其实"是你们的夸张。

问:你的人生观如何?

答:做人不是一件容易的事,所以要好好做像一个人。

问:如果有人在报纸上说你不喜欢的事,你生气吗?

答：我绝不生气，(1)心地坦白，不畏人言。
问：你的影坛生活有没有遇到难过的事？能不能告诉我们一些？
答：背一句古语作答：(2)不如意事常八九，可与人言无二三。
问：你曾感到一个电影演员对国家民族的责任是什么吗？
答：请多多指示！我在这里向你立正敬礼。
问：请问，你为什么跟严华离婚？
答：请你原谅！(3)往事免谈，好吗？
问：那么谈现在的事，严华又结婚了，你有什么感想？
答：世界上大概又多了一个幸福家庭吧。
问：在你还没拍电影之前的思想是怎样的？拍了之后呢？
答：之前，还小，根本谈不上有什么思想；之后，越演越害怕，凡事(4)不进则退。
问：你平时喜欢和什么人接近？讨厌什么人？
答：人人为我，我为人人，说不上喜欢和讨厌。
问：你是怎样学唱歌的？
答：(5)曲不离口而已。
问：你相信命运吗？
答：可信而不可信，(6)不可全信，不可不信。
问：做一个优秀的演员，应具有什么基本条件？
答：认真！认真！万事认真！尊意如何？

(根据蔡澜《喝我》改写)

一、在下面意思相反的词语或词组中选择可以用在周璇身上那个

1. 骄傲　谦虚　　2. 谨慎　随便
3. 热烈　冷静　　4. 幸福　不幸
5. 认真　马虎　　6. 糊涂　清醒

二、课文中六个划线句子与下列哪个句子意思相同

(　　)总在唱歌。
(　　)不要谈论以前的事情。
(　　)如果不前进就只有后退了。
(　　)心里没有什么不能告诉别人的东西，别人说什么都不怕。

(　　)常常遇到不如意的事情，这些事情大多都是没办法告诉别人的。

(　　)不能全都相信，也不能一点也不信。

三、周璇的人生观和对人的态度是什么

生　词

骄子　jiāozǐ　(名)　受宠爱的孩子。

名副其实　míngfùqíshí　the name matches the reality　名声或名称与事实相符合。

夸张　kuāzhāng　(动)　exaggerate, inflation

坦白　tǎnbái　(形)　frank

畏　wèi　(动)　害怕。一般与"不"、"无"连用。

如意　rúyì　(形)　像希望的那样。

立正　lìzhèng　(动)　stand a attention

尊意　zūnyì　您的意见。

第五十三课

一、技　能

扩大视幅之三:汉字和拼音文字的对比

汉语的书写形式跟拼音文字不同,词与词之间没有空间距离,而拼音文字的词与词之间则有明显的间隔空间。如:

他是北京语言学院的学生。

He is a student of the Beijing Language Institute.

由于汉语在书面语中词与词之间没有间隔,给扩大视幅的阅读带来一定困难。就是说,眼球移动一次从哪里开始,到哪里结束,比较难决定。从这个角度来说,掌握扩大视幅的技能,阅读汉语比阅读一般拼音文字要困难。

但是,从另一方面看,拼音文字占的地方大,汉字占的地方小。相同的意思,用汉语表达,可能一行字就够了,拼音文字可能要两行甚至更多的文字。如:

我们希望这次大会所建的桥是真正的金桥。

It is our hope that the bridges which we have built here at this conferende will truly be golden bridges.

英文差不多要占两行的位置,而且需要眼球动四次,分五个词组来阅读。汉字只占大半行,只需要眼球动两次,分三个词组阅读就可以了。从这个角度看,在汉语阅读时,进行扩大视幅技能的学习又比拼音文字要容易一些。

总之,跟拼音文字相比,汉语的扩大视幅阅读既有比较难的地方,又有比较容易的地方。但不论怎么说,要真正掌握这个技能,都需要刻苦地训练。

练习

阅读下面的语言单位,阅读一个单位时保持眼球不动

公共交通　政府机关　个人储蓄　离开学校　下个星期　他都走了
欧洲一体化　东南亚联盟　兴奋地跑了　谁都不想睡　早应该这样
引起两国注意　完全不予理睬　健全保健制度　集体个人利益

反而让他跑了　管理自由市场　参加医疗保险　人人都有责任
侵犯了个人权利　必须有心理准备　法律常遭到破坏

阅读下面的句子，用斜线隔开眼球不动时所阅读的单位

1．中国的经济奇迹是邓小平1978年在他的四个现代化战略方针中绘制的。

2．成千上万的北京人从他们胸前摘下表达悼念的白花，把它们系在路旁的树上。

3．和平号轨道站上国际乘员的飞行计划并没有因轨道站发生小火而泡汤。

4．我们之所以着急，是因为细胞内的蛋白合成的详细情况仍然是个谜。

阅读下面文章，以标点符号或斜线为单位，眼球不动读一个单位，然后回答问题

年近三十岁、曾是四川省/石油管理局/总医院/幼儿园园长的/孟长寿，四年前/辞职，在“海”中/赚了三十多万元。学画的/新婚妻子徐斌，指导儿童绘画，收入也不少。这对/喜欢孩子的夫妻/合计着/办一个/绘画幼儿园。但在市场调查中，夫妻俩/看到一个/双腿残疾、智力低下、已到学龄的孩子，正吃力地/靠着墙学走路。那呆呆的样子，给他们/留下很深的印象。1993年初，他们用光了/所有的家产，在成都市东郊/中和镇/办起了一所/“圣爱幼稚园”，可以容纳/四十多个孩子。

幼稚园/是半福利的/特殊学校。每个孩子/根据/家庭经济状况/每月交150～300元钱/不等，甚至还有/因家庭困难/一分钱也不交的。在“圣爱”，孟长寿夫妻/没有工资，其他员工/每月也仅有/200～300元。每个晚上，老师们/通宵守护/孩子睡觉，把尿掖被子，仅有2元补贴。

经过四年发展，幼稚园/开设了/十门课程，园内教学、康复器械/基本齐备。先后有/二十多个国家的/朋友/来园参观，资助/幼稚园的发展。现在/幼稚园已抚育了/肢体残疾、精神障碍、弱智、自闭症、脑瘫痪、多重症等/中度、重度、极重度/残障孩子五十多人，其中三人/康复后/进入正常学校，近十人/明显康复后/回归社会。

（根据1997年7月26日《羊城晚报》的同名文章改写）

1. 根据文章，孟长寿以前干过什么工作？

A. 教孩子画画　B. 绘画幼儿园　C. 办圣爱幼稚园　D. 当幼儿园园长

2. 第二段里的“合计”是什么意思？

A. 商量　B. 合算　C. 计划　D. 打算

3. 第二段里“通宵”可以用什么词语替代？

A. 吃夜宵　B. 一整夜　C. 早上　D. 细心

4. 根据文章，幼稚园工资最高的老师如果一个月有10个晚上通宵守护孩子，他（她）一个月大概可以拿到多少钱？

A.240元　B.280元　C.320元　D.410元

5. 文章提到多少种残疾，几个程度？

A. 六种残疾，两种程度　B. 六种残疾，三种程度

C. 十种残疾，两种程度　D. 十种残疾，三种程度

阅读下面的文章，用斜线隔开眼球不动时阅读的单位，然后填空

苏格兰科学家说，他们运用克隆技术培育出了第一只绵羊，这项技术的突破有可能对人类的囊性纤维变性和肺气肿等疾病取得进一步的了解。设在爱丁堡的罗斯林研究所的科学家说：“这只绵羊是用取自成年绵羊组织中的一个乳腺细胞核培育出来的第一只绵羊。”研究小组负责人说：“这项技术最大的用途是生产更多的保健用品。它将使我们对目前还没有找到治疗办法的遗传疾病进行研究并查明引起这些疾病的机制。”

1. ______________________的科学家用克隆技术培育出第一只绵羊。

2. 这只绵羊是从______________________培育出来的。

3. 克隆绵羊的作用是______________________。

二、阅读训练

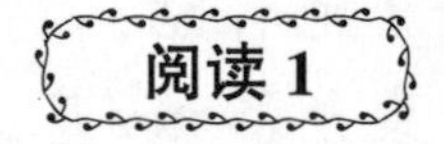

阅读1

凡·高美术馆

我们在午后一点来到美术馆。参观者静静地站在凡·高(Vincent van Gogh)的画前。那展览是以他最著名的自画像开始，然后随着时间的推进，直到他临终前的“死亡的麦地”结束。顺着展厅走去，我们好像

度过了凡·高的一生。

在他初期的作品里,充满了浓重的颜色,而渐渐地,他的色彩开始薄而单纯,单纯成一种蓝色。这种蓝色接近于日本板画淡薄而明亮的蓝色,但却又完全不同。那是粗粝与优雅的怪异的结合,它几乎在每一幅画中都固执地出现,由于和不同色彩的对比,便也千变万化。可是退后几步望去,你不禁会被这蓝色紧紧抓住,它好像是用尖锐的笔刻下的,带着裂帛之声。它的明亮令人不安,好像含有不祥的预兆。它的鲜艳使人想起末日。我觉得,那就是凡·高,是凡·高自己,怀着一种可怕的偏执,被生命围困,得不到一点生路。

我站在展厅中央,周围是凡·高的画。我忽然明白了,一个艺术家创作的目的是什么,这一次我觉得我是真的明白了。这个目的就是建设一个"我"的精神世界。我站在凡·高的精神世界里,看见一个生命流淌出蓝色的血液。

(根据王安忆《漂泊的语言》改写)

一、选择正确答案

1. 凡·高后期的画中的色彩(不止一个答案):
   A. 浓重而怪异　　B. 接近日本画
   C. 结合了粗粝和优雅　　D. 明亮而鲜艳
2. 下面的说法哪一个不正确?
   A. 凡·高自画像是他早期的作品　　B. 凡·高死前不久画了麦地
   C. 凡·高作品全都是蓝色的　　D. 凡·高的生活痛苦而不幸
3. 文章主要是在:
   A. 感受凡·高的精神世界　　B. 介绍凡·高美术馆
   C. 论述艺术家创作的目的　　D. 介绍凡·高的一生

二、"浓重"(第二段)可以分成"浓"和"重",形容颜色都是指颜色深、暗,因此,"浓"和"重"是同义词。其他带有下划线的词语都是同样结构的词语,那么你知道它们的意思吗

生　词

单纯　dānchún　(形)　简单、单一、不复杂。
粗粝　cūlì　(形)　粗,没有经过加工。

优雅　yōuyǎ　（形）　优美而典雅。
固执　gùzhí　（形）　坚持意见，不肯改变。
裂帛　lièbó　撕开、断开丝绸。
不祥　bùxiáng　（形）　auspicious　不吉祥。
预兆　yùzhào　（名）　omen　预先表现出来的现象。
偏执　piānzhǐ　（名、形）　crankiness

阅读 2

《永远爱你》

一场没有结果的战火恋情，使海明威写出了《战地春梦》这部名著。现在，新片《永远爱你》把这段恋情搬上了银幕……

1918 年，记者海明威到了意大利，如愿以偿地上了前方，又如愿以偿地做了英雄，代价是受了重伤。

于是在医院，他又如愿以偿地见到漂亮的护士爱格尼。可是他碰上强劲的对手卡医生。

后来，海明威终于把握住机会，拥抱了爱格尼，两人有了感情。可是，爱格尼发现卡医生与她一样，有着共同的济世之心，而且，他是富家子弟，还想办家大医院。

战争结束了，海明威成了英雄，回到家乡，展示自己的伤病，讲述那个他爱的女子。而此时，爱格尼不知道自己究竟是该去美国，还是该留在意大利。

本片制作人威纳德的父亲，是海明威的战时好友。威纳德说："一个女人挣扎在感情与理性之间，就是一个伟大、不朽的爱情故事。"

爱格尼感情生活的线索来自她的信件。没有这些，她与海明威的事就没人知道。当时海明威十九岁，爱格尼二十六岁。另一位意大利绅士与她年龄相当，又十分成熟稳重，最后她嫁给这位绅士，给海明威极大打击。十年后，他写出了《战地春梦》，成为现代文学史上最伟大的爱情故事之一。

《永远爱你》中海明威由克里斯欧·唐纳德饰演，而爱格尼的饰演者则是珊卓·布拉克。与爱格尼一样，珊卓·布拉克也在宾州出生，在华盛顿长大，从小去过很多地方。

选择正确答案

1. 这篇文章的目的是什么？
   A. 讲一个爱情故事　B. 介绍一个电影　C. 介绍海明威　D. 介绍爱格尼
2. 根据文章，对《永远爱你》来说，下面哪句话是真的？
   A. 它是一个爱情故事　　B. 它是根据一个意大利绅士的故事改编的
   C. 它是由爱格尼演的　　D. 它是根据《战地春梦》和爱格尼的信改编的
3. 文章没有说，但可以推测出，爱格尼没有嫁给海明威，可能是因为他：
   A. 不够稳重　　B. 没有钱　　C. 要回美国　　D. 受了重伤
4. 第一段中的"如愿以偿"是什么意思？
   A. 补偿愿望　　B. 实现愿望　　C. 尝试　　D. 情愿
5. 第五段中的"不朽"可以用什么词语代替？
   A. 不停　　B. 光辉　　C. 永恒　　D. 感人

生　词

理性　lǐxìng　（名）　reason　判断、推理等活动；通过这些活动来辨别是非、控制自己行为的能力。

线索　xiànsuǒ　（名）　clue　比喻探索问题的方法、途径和事物发展的脉络。

阅读 3

大学生暑假干什么

时值暑假，当你走进广州的高校就会发现，宿舍、食堂依然有不少学生匆匆的身影。近几年来，外地来穗读书的大学生中，越来越多的人暑期不回家，留在广州实习、打工、读书。

据广州师范学院团委副书记刘峰介绍：广州师院暑假留校的学生一年比一年多，现在大概有三分之一的学生留校。学生们大都利用暑期进行实习。他觉得，往年实习者以高年级学生为多，但近几年，不少一二年级的大学生也参加暑期实习的行列。

中山大学一位二年级同学说："学校规定在三年级实习，但自己想早一点儿接触社会，今年暑假就忙开了。"现在念三年级的暨大新闻系学生小周说：除大一那年暑假回过湖南老家外，每年的暑假她都留在学校参加实习，先后去过电台、电视台、报社。"因为目前还没决定将来选

择哪一行,所以趁假期接触各行各业。"

有大学生介绍,他们不少师兄师姐,就是利用暑期实习的关系为选择工作做铺垫的。

打工赚钱也是相当一部分学生留校的目的。小陈打算明年寒假到张家界旅游,今年暑假就留在广州做推销员。"听说推销员很好赚钱,一个月可赚一二千元。"他觉得花自己的钱出去玩,特别自在。

老家在陕西的华南师范大学二年级学生小刘,生活比较困难,今年暑假留在广州打工。如今他兼任两份"家教",每周有五天要给学生上课。"家里有大姐帮忙,我回去也是闲着,倒不如赚点儿钱寄回家里。"

还有准备考研究生的,每天来往于学校图书馆和宿舍,忙于啃书本。

(据1997年7月21日《羊城晚报》张海波文章改写)

选择正确答案

1. 如果要给本文一个题目,下面哪句话最合适?
   A. 大学生暑假实习　　B. 实习的种类和目的
   C. 暑期打工的大学生　D. 暑假不回家的大学生
2. 根据广州师范学院团委副书记刘峰的话,可以看出今年参加实习的学生:
   A. 高年级比低年级多　　　B. 低年级比高年级多
   C. 高年级和低年级一样　　D. 低年级的增加了
3. 暨大新闻系学生小周为什么实习?

A. 赚钱　　B. 选择未来的工作　　C. 没其他事情干　　D. 不想回老家

4. 谁是因为家庭生活困难而打工？

A. 华师大的小刘　　B. 小陈　　C. 暨大的小周　　D. 文章没有说

生　词

实习　shíxí　（动）　practice;fieldwork　在实践中学习。

老家　lǎojiā　（名）　native place　家乡。

铺垫　pūdiàn　（动）　准备;陪衬。

啃　kěn　（动）　一点一点地咬。“啃书本”形容认真学习书本上的知识。

第五十四课

一、技　能

组读之一：含义和作用

组读的意思就是阅读的时候不是逐字逐词地读，而是以词组或短句为单位来阅读文章。如下面这段文字，可以以划线的部分为单位进行阅读，每次阅读一条横线上的词组：

他前天 把我要去西藏的事 悄悄告诉了 他最好的朋友。到今天中午，连我爱人单位看门的老张头 都知道了 我要去西藏支边。

可以看出，组读实际上跟扩大视幅有密切关系。扩大视幅的侧重点是生理和物理，视幅越宽，眼球移动的次数越少，结果是阅读速度越快；组读的侧重点是书面语言的结构，说明眼球移动一次的阅读单位应该是词组或者短句，这样的阅读才能真正做到既扩大视幅，又提高阅读质量。也就是说，组读应该以词组或短句为单位进行阅读。

采用组读有两个好处：

第一，速度快。逐字逐词的阅读，速度自然比较慢，读起来也比较累。采用组读的方法，一次阅读一个词组或短句，速度自然就快。

第二，也是更重要的，组读有利于帮助理解。一般说来，阅读认知有两种基本方式：一种是加合式认知，一次眼球停顿时只认知一个字或词，然后加合起来理解句义；另一种是整合认知，一次眼球停顿时认知一个词组以至一个短句，整合地理解其意思。很明显，整合认知不但速度比加合认知快，理解也比加合认知好。比如说下面这句话：

山田的父母 上个月28号 来中国旅游，上个星期五 到了我们学校。

这句话由两个分句组成。第一分句由三个词组构成(一条横线上的部分是一个词组)。如果分开，一个词一个词地阅读理解，不但速度慢，对整句话的理解也帮助不大。如果以词组为单位来认读、理解，就可以从语义块儿的组合来理解整句话的意思。如：第一个词组表示动作发出者；第二个词组表示时间；第三个词组表示行为动作。

练习

眼球不动,阅读下面的每一个词组或短句

最好的选择　患有高血压　汉语言文学　我明天出发　小王结婚了
新华通讯社　社会科学院　封闭的大楼　刻苦地研究　画得很逼真
对事业的爱　谁都会喜欢　真的不应该　手术做完了　帮助残疾儿
被冷落的首都　宣布比赛结果　不知道干什么　符合法律程序
被遗忘的历史　又开朗又自信　春天百花盛开　妈妈到了云南
引起种种病态　全面复习功课　生活得更幸福　我们创造未来
到海边城市度假　危害地球的环境　受到了一致好评　情人眼里出西施
仿照古代的婚礼　清代的风俗习惯　他们受到了伤害　我一考试就紧张
最佳的工作状态　根据主要的意思　要把握段落内容　不可推卸的责任
人脑左半球的功能　无比自豪地对他说　停止无限制地开发
别人的事你不要管　请自觉地排队买票　要想办法减少污染

以划线的部分为单位阅读下面的文章,并回答问题

有一次去九寨沟。

同车 有一位香港女子,说她在大屿山 一所偏僻的学校 给孩子教书。她很喜欢坐在 人烟稀少的野外 看天上的云。

路上,她望着窗外 草原上的白云,看得趣味盎然。你看:"那像不像奔马、像不像羊群,那像不像山,那像不像水……"

她在平静中 感受无边的快乐。

她的快乐 也感染了我。一路上 她教会了我看云,也教会了我 快乐的方法。

难得的是 她在这个浮躁的社会里 拥有一颗宁静的心灵。

宁静而致远。

这时,远方就在我们脚下。

(据1997年7月9日《羊城晚报》邓毅富文章改写)

1. 第二段"人烟稀少"是什么意思?

A. 偏远　B. 烟雾少　C. 人和烟都很少　D. 人很少

2. 文章没有说,但可以知道作者想告诉读者:

A. 应该经常到野外旅游　　B. 看云很有意思
C. 保持心理的平静很重要　　D. 旅游时要到远的地方

3. 第六段里“浮躁”的反义词是什么？
A. 沉静　B. 沉着　C. 安稳　D. 快乐

阅读下面的文章，用横线划出你组读的单位并回答问题

本报讯　由台湾九鼎轩置业（集团）公司出资筹建的两所北京小牛津双语幼儿园（安慧园、慧忠园），4日在北京国际会议中心举行第三届毕业典礼。

北京小牛津双语幼儿园是标准化的双语幼儿园，他们特聘了多名在外专局注册的外国专家，给孩子们创造了一个完整的美语环境。

他们从国外引进许多新的教材，新的教学方法，借此扩展孩子的视野，培养孩子的世界观，让孩子在知识技能方面能达到国际水平。幼儿园重视幼儿心理素质的培养，尊重孩子，站在引导和帮助孩子的立场，给予孩子们关爱，建立其自信心，教导他们如何帮助别人，如何关心别人，如何与人合作，如何克服困难，培养他们独立自主的个性，以面对未来世界多元化的发展。

（引自1997年7月7日《北京晚报》）

1. 根据文章，两所幼儿园建在哪里？
A. 台湾　B. 北京　C. 美国　D. 外国

2. 对幼儿园来说，下面哪句话不是真的？
A. 引进新教材　B. 培养合作精神　C. 到野外扩展视力　D. 学习汉语

3. 文章第三段的“关爱”是什么意思？
A. 关心、喜爱　B. 关怀、爱戴　C. 关心、爱戴　D. 关怀、爱护

二、阅读训练

阅读 1

一堂令人难忘的绘画课

以前，我是一个又自卑又内向的人。在班里，我总是独来独往，不敢面对同学，因为我怕他们笑我笨，说我丑——我真的是一个又丑又笨的

人，我害怕接触到别人的眼光。

那是新学期的第一堂美术课。新来的老师想试试我们的绘画水平，便叫班里的五位组长到黑板上去画画。女孩子都是比较害羞的，刚好五位组长又都是女生——其中包括我。开始，尽管老师请了几次，就是没人敢上去。老师又一次叫我了。我紧张得全身发抖，脑袋一片空白。老师又叫了我一次。“上去吧。”周围的同学小声对我说。我分明看到了他们充满鼓励和支持的眼光。我一咬牙，竟然站起来，走向黑板。老师愣了一下，随即激动地说：“让我们为这位组长的勇气鼓掌。”于是我耳边响起了热烈的掌声。我被这突然的掌声惊呆了，愣愣地站在讲台上，不知所措——没有人会为我鼓掌的，我一定是在梦里，我想。直到我确信，我是真真切切地听到了掌声，一行热泪顺着我的脸颊悄悄流下来，是咸的却又是甜的。幸好，我面向着黑板，背对着同学们……我突然觉得，同学们并不是我想像的那样讨厌我，看不起我，我一直不敢面对同学，其实是不敢面对自己，认清自己。

从那以后，我似乎变成了另外一个人，变得活泼开朗了许多。我的成绩也从十几名升到了前五名。当然，这一切都要感谢我的同学和老师，是他们给我勇气，让我抬起头，重新面对自己。我从心里说一声：谢谢你们！

（据1997年3月29日《羊城晚报》文章改写）

选择正确答案

1. 第一段里的“独来独往”是什么意思？
   A. 独自跟人来往　　B. 单独一个人做事
   C. 单独去旅游　　D. 独自一个人来上课
2. 根据文章，“我”为什么怕接触别人的眼光？
   A.“我”是班里最笨的　　B.“我”是班里最丑的
   C.“我”觉得自己又笨又丑　D.“我”害怕别人笑话自己独来独往
3. 下面哪句话是真的？
   A. 班里有五个组长，都是女的，都不害羞
   B. 班里有五位组长，有男有女，都害羞
   C. 班里有五个组长，都是男的，都不害羞
   D. 班里有五个组长，都是女的，都挺害羞
4. “我”为什么站起来，走向黑板？
   A.“我”看见同学们支持的眼光　　B.“我”根本不害羞
   C.“我”一点也不紧张　　D.“我”喜欢在黑板上绘画
5. 文章最后一段，“开朗”的反义词是什么？
   A. 封闭　B. 关心　C. 闭塞　D. 内向
6. 最后一段说：“我似乎变成了另外一个人……”“我”为什么会变？
   A. 我上讲台了　B. 师生给了我勇气　C. 我的成绩好了　D. 文章没有说

生　词

自卑　zìbēi　(形)　feel oneself inferior　觉得自己比不上别人：人要自信，不要～。
绘画　huìhuà　(动)　painting drawing　画画儿。
害羞　hàixiū　be shy　因为胆小，害怕做错事而心里不安，容易脸红。
开朗　kāilǎng　(形)　sanguine　(性格等)乐观，外向。

阅读 2

随笔一则

最近常看 Virginia Woolf。我有四册她的日记，三本人家为她写的传记，全是挖她的隐私，真是抱歉，但她也太不小心了，自杀前没有把日记烧了，给为她作传的人提供不少方便。

Kafka 也喜欢传记。他是极其自我的人，好拿人家跟自己比，自慰、

自欺、自勉——通通都有。*The Diary of Anne Frank* 家喻户晓，我敢说没有一个女孩子读后不计算计算，自己在那个年纪，做什么，想什么。比得上比不上倒在其次，而是进入另外一个人的生命中，看他的行事为人，觉得也不过是个“人”而已，有一份安心，因为自己也是个人。

电影也为人作传。前一阵子看的德国记录片，讲一个滑雪家（也是雕塑家）创世界记录的经过。影片的结尾，打出两行字，是主人公自己说的话，大意是：我希望世界没有别的人，只有我，没有别的生物，没有风，没有雪，没有银行，没有钱；只有我，赤裸地躺在大石上——那样我就不用害怕了。

人有名到了某个程度，就有权利发表这一类惊人议论。不但没有人反驳他，而且还觉得那番话意味深长。即使是反感，对于说那种话的权利，却是羡慕的。

我记得当初给报纸杂志写文章，每用“邋遢”二字，总被人改成“肮脏”。我想那一定是看的人不认识这两个字，又不认识我这个人（要是我是有名的作家，他至少会去翻翻字典）。“肮脏”虽然也脏，但读起来铿锵有声，有一种属于声音上的清洁，不及“邋遢”，简直乌眉黑嘴，油头垢面，鹑衣百结。我很生气，下定决心，以后要写一些文章，是没人敢改的：不是我写得好，是没有人敢改。

现在我也知道了，那其实没有什么了不起。

（根据钟晓阳《春在绿芜中》改写）

一、判断正误

（　　）1.“自我”的人就是以自己为中心的人。

（　　）2. 第二段里的“为人”和第三段的“为人”意思一样。

（　　）3.“肮脏”有清洁的意思。

（　　）4. 作者觉得如果一个人“邋遢”，那他的眉毛、眼睛、头发、脸和衣服都不干净。

（　　）5. 作者认为人人都有权利发表惊人议论。

二、选择正确答案

1. 作者对滑雪家的话的态度是：
   A. 赞成的　　B. 反感的
2. 关于作者，下面哪句话是不对的：

A. 作者常常读传记　　　B. 作者可能常常给报纸杂志写文章
C. 现在作者已经有名了　　D. 虽然以前作者的文章写得不好，但没人敢改

生　词

传记　zhuànjì　（名）　记录某人一生的生活、事件的文字。
隐私　yǐnsī　（名）　不愿让别人知道的个人的事。
家喻户晓　jiāyùhùxiǎo　每家人都知道。
赤裸　chìluǒ　（动、形）　一点儿衣服也不穿。
权利　quánlì　（名）　right, title
反驳　fǎnbó　（动）　说表示反对的意见和理由。
反感　fǎngǎn　（动）　反对或不满的感觉。

"车展"还是"烟展"

前不久，在北京当代商城举办的"MILD SEVEN 一级方程式赛车世界巡回展"上，发生了以洋烟代替展览会门票的怪事。据有关资料显示，这个车展计划从 3 月～8 月在广州、北京、大连等七个城市举办。

在当代商城的展厅入口处，参观者排队通过。引人注目的是，他们手中都拿着 MILD SEVEN 牌的香烟，少则两盒，多则一条。验票的小姐一一查看参观者所带的香烟，一些手中没有香烟的车迷被客气地请了出来。原来，这次车展规定，要参观汽车和参加有关活动，就必须在当代商城里买两盒以上的 MILD SEVEN 烟当"门票"。

MILD SEVEN 产于日本，在我国市场上叫"七星"，也叫"万事发"。举办车展的北京奥美公关公司还派出两名服务小姐站柜台，公开搞"洋烟有奖销售"活动。而车展所搞的几项活动与赛车风马牛不相及，却无不与香烟有关，如让参观者填写关于我国卷烟消费调查表。举办者还在北京市街头张贴了大量的车展户外广告，蓝底白字的印刷品上，"七星"、"特醇七星"等烟草品牌字样格外醒目。

有关人士指出，显而易见，这次车展发布的户外洋烟广告是非法的。目前，北京工商行政管理局正对这次车展及其有关问题进行查处。

（据 1997 年 7 月 3 日《报刊文摘》同名文章改写）

选择正确答案

1. 除了北京之外，这个展览还在几个城市举行？

   A. 六个　　B. 七个　　C. 八个　　D. 九个

2. 文章第三段的“风马牛不相及”是什么意思？

   A. 马和牛不相及　　B. 没有关联　　C. 来不及　　D. 不一样

3. 根据文章可以推测出，在北京，户外的外国香烟广告是：

   A. 不允许的　　B. 合法的　　C. 有的

生　词

巡回　xúnhuí　（动）　按一定的路线到各个地方（活动）：这个歌星到五个城市～演出。

醇　chún　（形）　（味道，性质）纯粹，纯正，不含别的味道或杂质。

品牌　pǐnpái　（名）　一种商品表面上的标记、文字，以区别于别的商品。

第五十五课

一、技　能

组读之二：步骤与阶段

组读的分解练习可以按照下列三个步骤进行：

第一，把单字认读变为多音节词认读。也就是说，眼球不动时所认知的单位从单字变为双音节词或多音节词。如：

教材　洁白　阔气　扩大　年代　漫步　名单　许多
日光灯　开幕词　小商品　中文系　计算机　颐和园
人民银行　三级跳远　一国两制　希望工程　乒乓球赛
综合性大学　生命科学院　独木不成林　人民日报社

第二，过渡到以词组为识别单位，即，眼球不动时所辨认的单位从词发展到词组。如：

喝水　骑车　飞跑　大风　走近　他去　快来　打球
吃馒头　滑旱冰　慢慢看　我的书　坐火车　去旅行
玩得开心　最后一站　不想睡觉　明天再去　毛病不少
学生的书包　大家来跳舞　外国旅行团　很大的进步
很长很长时间　学校的正门口　走向树林深处　小心地坐下来

第三，过渡到以短句为认知单位，即眼球不动时识别的是一个一个短句。如：

明天有暴雨　小王刚来过　他们才离开　厨房有剩菜
领导下午开会　这个厂关门了　你去哪里休息　等会儿他会来的
他能把人给气死　玛丽做完作业了　下星期一考口语
她发现一封挂号信　法院做出了终审判决　定时炸弹就这样爆炸了

组读既是一种能力，又是一种习惯，需要长时间的训练。在开始训练时，必须注意强迫自己以词组或短句为单位来阅读。时间长了，就会慢慢养成组读的习惯。

练习

阅读下面的文字，自己给组读的单位划线

1. 5月28日，吉林大学首届留学生汉语演讲比赛在吉林大学南校区举行。

2. 顺德市位于珠江三角洲中部，靠近广州、佛山、珠海等大中城市，邻近港澳，面积806平方公里，人口约100万。

3. 这个以“东西方文教的桥梁”为主题的国际会议是一个非常重要的、意义深远的教育和文化盛会。

4. 著名作家管桦日前在参加一次座谈会时，向全国作家呼吁：多为孩子们写点东西。

5. 双语教育是相对于单语教育提出的，它的特征是在同一教育机构中，同时用两种语言学习作为教学媒介的教育系统。即，学生同时学习两种语言，并通过两种语言学习其他知识。

组读下面的文章，并在组读的单位下面划线，然后回答问题

本报讯 今天上午，本市37867名考生在全市60个考点的1372个考场参加一年一度的高校招生全国统一考试。市属高校试办高职班单独招生考试上午在一九〇中学等考点同时开考。

今年是我国高校招生制度改革二十周年。1977年，在邓小平同志倡导下，高校招生恢复“文革”前行之有效的入学考试，从应届高中毕业生中直接招收新生。二十年来，通过高考跨进大学的学生约有1100万。

今年全国各类高校在京总共招生22492人，录取率比去年略低，约为1∶1.68。为保障交通，不耽误考生考试，交警增加了考点的警力。

(引自1997年7月7日《北京晚报》)

1. 第一段里，办“高职班单独招生考试”的是：
   A. 国家　B. 国家高校　C. 某个城市的高校　D. 文章没有说
2. 根据文章可以推测出来，高校招生入学考试制度：
   A. “文革”前停止过　B. “文革”后停止过
   C. “文革”时停止过　D. 一直没有停止过
3. 如果一个中学有370名考生，按照平均录取率，可能有多少人考上大学？

A. 200 多人　　B. 60 多人　　C. 168 人　　D. 190 人

二、阅读训练

阅读 1

两个家庭的故事

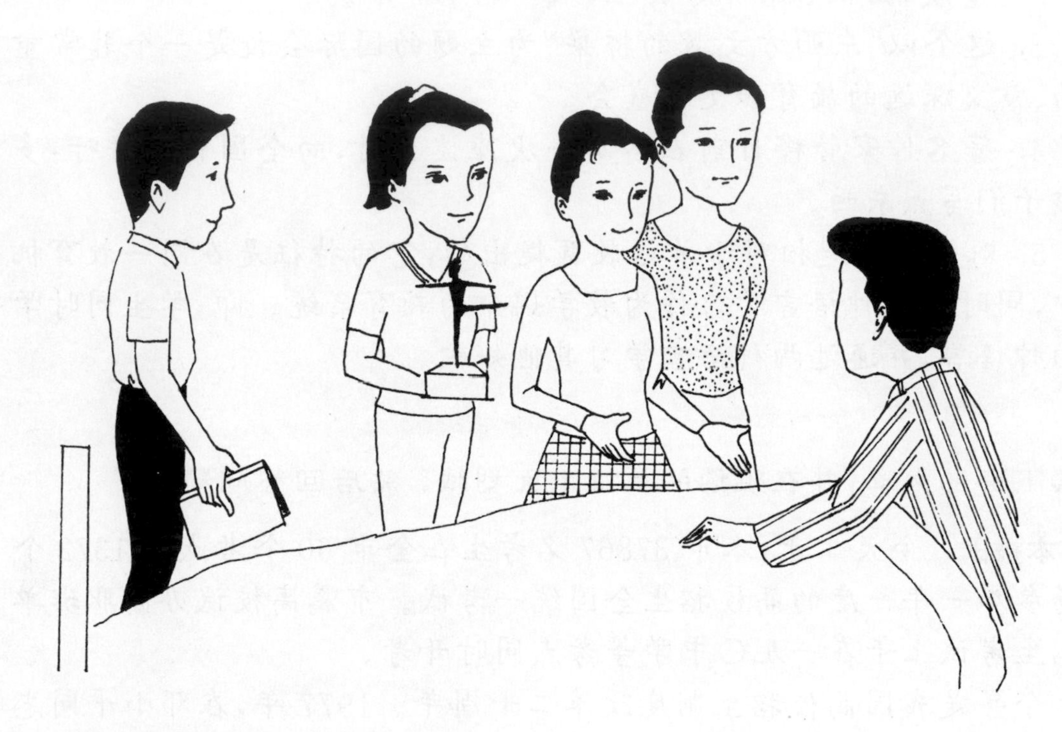

尽量用组读的方式阅读下面的文章并回答问题

1. 这篇文章引自：
   A. 文学　　B. 电视　　C. 故事　　D. 电影
2. 故事里有几个主要人物?
   A. 两个　　B. 三个　　C. 四个　　D. 五个
3. 下面哪句话不是真的?
   A. 明明的老师是燕子的妈妈　　B. 唐大志知道自己伤情,觉得生活没有希望
   C. 燕子用好的成绩报答唐大志　　D. 医生初次诊断,认为唐大志的下肢会瘫痪

小学生明明从小失去母亲,爸爸唐大志是位体操教练。在一次训练中,唐大志为保护小体操队员燕子而受伤。明明既要上学,又要照顾父

亲，好在他本来就会干许多家务。燕子的母亲龙芳是明明的班主任，她十分喜欢和关心这个从小就懂事、吃苦耐劳的孩子。唐大志伤情严重，经医生复诊，认为他的下肢有瘫痪的可能。他难以接受这一现实，精神一下子垮了。在龙芳和体校师生的帮助下，明明鼓励爸爸振作起精神，重新站起来。为了不辜负唐教练的期望，燕子也更加刻苦地训练。全国少年体操大赛开始了，燕子和她的小朋友们终于夺得了冠军。

（中央电视台7月14日、15日（第一套节目）播出）

生　词

体操　tǐcāo　（名）　一种体育运动项目，用或不用器械进行各种动作操练或表演。
吃苦耐劳　chīkǔnàiláo　能经受艰苦，禁得起劳累。
振作　zhènzuò　（动）　使精神好、情绪高。
辜负　gūfù　（动）　对不住（别人的好意、希望或帮助）。

阅读 2

《绿毛水怪》和我们的爱情

《绿毛水怪》是我和小波的媒人。第一次看到它是在一位我们共同的朋友那里。这是小波的一部小说的手稿。小说写在一个有漂亮封皮的本子上，字迹密密麻麻，左右都不留空白。小说写的是一对情窦初开的少男少女的恋情。虽然它还相当幼稚，但是其中有什么东西却深深地打动了我。

小说中有一段陈辉（男主人公）和妖妖（女主人公）谈诗的情节。

白天下了一场雨，晚上又很冷，没有风，结果是起了雨雾。天黑得很早。沿街的楼房的窗口喷着一团团白色的光。大街上，水银灯在半天照起了冲天的白雾。人、汽车影影绰绰地出现和消失。我们走到10路汽车站旁。几盏昏暗的路灯下，人们就像在水底一样。我无言地走着，妖妖忽然问我："你看着夜雾，我们怎么形容它呢？"

我鬼使神差地作起诗来，并且马上念出来。要知道我过去根本不认为自己有一点作诗的天分。

我说："妖妖，你看，那水银灯的灯光像什么？"

"大团的蒲公英浮在街道的河流上，
吞吐着柔软的针一样的光。"

妖妖说："好。那么我们在人行道上走呢？这昏黄的路灯呢？"

我抬头看看路灯，它把昏黄的灯光隔着蒙蒙的雾气一直投向地面。

我说："我们好像在池塘的水底，从一个月亮走向另一个月亮。"

妖妖忽然大惊小怪地叫起来："陈辉，你是诗人呢！"

从这几句诗中，小波的诗人天分已经显露出来。虽然他后来很少写诗，更多的是写小说和杂文，但他是有写诗的才能的。然而，当时使我爱上他的也许不是这个，而更多的是他身上的诗意。

（根据《浪漫骑士——记忆王小波》李银河文章改写）

回答问题

1. 请你在文章中找出主句。
2. 作者和小波是什么关系？
3. 第一段最后一句说"其中有什么东西打动了我"，你认为是什么东西？
4. 根据陈辉的话，把有关的词语连接起来：

路灯	水底
灯光	蒲公英
灯光下	月亮
	河流

生　词

媒人　méiren　（名）　婚姻介绍人。
情窦初开　qíngdòuchūkāi　刚懂得爱情。
幼稚　yòuzhì　（形）　形容思想简单或没有什么经验。
打动　dǎdòng　（动）　使感动。
影影绰绰　yǐngyǐngchuòchuò　（形）　模糊，看不清楚。
鬼使神差　guǐshǐshénchāi　好像被鬼神派去做事，形容做出自己也想不到的事情。
蒲公英　púgōngyīng　（名）　一种花，像一团团白色的软毛。
吞　tūn　（动）　吐的反义词。
池塘　chítáng　（名）　存水的池子，一般不大，比较浅。
天分　tiānfèn　（名）　生下来就有的某种才能。
诗意　shīyì　（名）　好像或使人想起诗歌的东西。

阅读 3

心理因素与健美

心理因素对人的青春、美容影响很大，这已经为越来越多的人所理解。

一般人认为，紧张是很有害处的。但现代医学研究表明，适度的紧张可以保证机体的正常运转，有效地进行新陈代谢，保证皮肤血液和营养的供应，保持青春，有利于美容。

美国心理学博士雷米曾做过一项研究，发现世界上最忙碌最紧张的名人们，通常要比普通人的寿命高出29%；外出工作的妇女要比家庭妇女发病率低。美国还做过一个调查，结论是：失业率每增加1%，死亡率就增加2%。许多证据都表明，不工作的人比有工作的人健康状态差。因为工作会消除人的孤独感和不愉快。许多忙碌的人往往是最快活的人，他们在工作中会产生积极向上的激情，与社会广泛接触会得到集体的温暖和友谊，工作成就更使人获得满足感，使烦恼大大减少，对身心健康极有益处。充实的生活使人心情愉悦，当然会使人看上去容光焕发，青春常在。

充实的生活必然还会使人有较多的情趣爱好，通过这些活动，人们会有更广泛的知识面。对男性而言，就是在家务劳动中，也会因做菜时要保持大脑的兴奋且更多地使用右脑，从而使工作中一般只使用左脑的用脑状况维持平衡，大大提高大脑的利用率和保持大脑的最佳状态，有助于减缓大脑功能的衰退，促使人们精神舒畅，容貌比较年轻。

从反面来说，当人们百无聊赖时，不但不会感到快乐，还会感到烦恼和孤单，会因为无事可做而多愁，甚至产生疲劳、记忆力减退、容易生气和急躁等症状，从而导致生理性疾病发生，身体健康不佳，青春早逝。

（根据《家庭》1997年第4期容小兴文章改写）

选择正确答案

1. 据心理学博士雷米的研究，如果普通人平均活50岁，最忙碌紧张的名人平均活多少岁？

A. 29岁　　B. 79岁　　C. 65岁　　D. 92岁

2. “忙碌的人往往是最快活的人”有几个原因，下面哪句话不是本文说和原因？
   A. 忙碌的人工资比较高　　　B. 忙碌的人在工作中有激情
   C. 工作成就使人产生满足感　D. 能得到集体的友谊和温暖
3. 根据文章，男性在家做菜有什么好处？
   A. 理解妻子的工作　B. 帮助妻子工作
   C. 让右脑得到休息　D. 使用脑状况保持平衡
4. 第四段“百无聊赖”是什么意思？
   A. 无事做而感到很无聊　B. 经常耍无赖
   C. 无事做而耍无赖　　　D. 一百次的感到无聊
5. 下面哪句话作为本文题目最好？
   A. 适度紧张可以青春常在　B. 充实的生活必然会有较多的情趣爱好
   B. 人们会因为无事做而多愁　D. 男性应该多做家务

生　词

机体　jītǐ　（名）　organism　具有生命的个体的统称，包括植物和动物。
新陈代谢　xīnchéndàixiè　metabolism　生物体的基本运动过程，即不断从外界取得必需的物质，并使之变成本身的物质，同时把体内的废物排出体外。
烦恼　fánnǎo　（名）　be worried; be vexed　心情不愉快，痛苦。
充实　chōngshí　（形）　rich; substantial　丰富，多得能满足需要。
举止　jǔzhǐ　（名）　bearing manner　人的姿态、样子和风度。
仪态　yítài　（名）　bearing　人的外表，主要指好的姿态。
按摩　ànmó　（动）　massage　用手在身上推、按、捏、揉等，以促进血液循环，增加皮肤抵抗力，调整神经系统。又叫推拿。
衰退　shuāituì　（动）　decline　（身体、精神等）失去了强盛的精力、机能。

完型填空

香烟是什么

香烟算是(1)一类工业品？食品？药品？玩具？(2)麻醉品？(3)说纯粹是麻醉品，人类为何要选择香烟呢？这真是一个有趣的问题。

所有的医学结论(4)：香烟对人类是极为有害的，它麻醉人的精神，毒害人的肌体，引发种种疾病。香烟广告上(5)说：“吸烟有害健康。”香烟不得人心，众所周知。(6)，香烟却实实在在地在人类社会生活中占了一席之地。(7)在日常生活、商业交往中，还是在近现代文人的笔尖，没

有一个地方<u>(8)</u>有香烟的踪迹。

1. A. 任何　B. 什么　C. 哪　D. 别
2. A. 还是　B. 也是　C. 又是　D. 并是
3. A. 虽然　B. 尽管　C. 不管　D. 如果
4. A. 论证　B. 论说　C. 告诉　D. 证明
5. A. 又　B. 也　C. 还　D. 更
6. A. 而且　B. 并且　C. 但是　D. 只有
7. A. 尽管　B. 宁可　C. 虽然　D. 无论
8. A. 没　B. 都　C. 不　D. 还

第五十六课

一、技　　能

说明文的阅读

说明文是以说明为主要表达方式，以介绍、说明客观事物或道理为写作目的，并能给读者带来相应的知识的文章体裁。一般来说，根据说明对象的类型不同，我们在阅读中常常遇到的说明文有以下四种类型：

（一）以特别的地方或建筑物为说明对象的说明文，常见的此类说明文是旅游参观时遇到的景点介绍或旅游指南。

在写作这类说明文时，作者最可能使用的说明方式是“方位法”，即按照事物的空间形式和自己的观察顺序进行说明。因此在阅读时，读者如能尽快找出表示顺序的标志词，阅读的效率就大大提高了。

方位法又可以分为三种。第一种是“对称方位法”，它先说明一个方位，然后再说明与之相对称的另一个方位，例如从上到下，从前至后，由东及西，由南及北，由左至右。第二种是“顺序方位法”，它按照说明对象的空间排列顺序依次说明。第三种是“间接方位法”，它不直接按对象的空间方位，如东南西北、上下左右进行说明，而是以整体－部分，远－近，大－小等间接的方式隐含方位顺序。

（二）以某种商品或用具为说明对象的说明文。这种说明文以介绍商品的构成、功能特点、价格等为主要目的，跟广告的区别是，它必须是客观的介绍，不带推销目的。其中包括书籍的介绍说明，书籍介绍一般分三部分：书籍的资料性介绍，如出版单位、时间、作者、书号等，内容简介和简评。

（三）以事物发展过程为说明对象的说明文。这种说明文以时间顺序为主要线索。它主要包括三种情况：一是说明客观事物的演变过程，揭示其规律，例如《人类的出现》，按人类发展的四个阶段顺序介绍；二是说明产品的生产过程，例如《景泰蓝的制作》，按照景泰蓝这种著名的工艺品的制作程序进行说明；三是指导商品使用的说明书，说明书通常按照实际操作顺序来写，也可以按照功能顺序来写。

阅读这类说明文要注意的一点是，有时作者为了突出事物变化的结果，会采取反时序的说明方法。

（四）以一定的事理为说明对象的说明文。有的解释某种科学道理，有的介绍某种新发明、发现……这类说明文有很强的逻辑性。阅读此类说明文时要注意抓住一些表示因果、分类、归纳、演绎等逻辑关系的标志词。

练习

以下每一组为一个段落，请在括号里写上正确的序号

(　　)所以人们通常说的煤气中毒，实际上是指一氧化碳中毒。

(　　)而煤气中的其他成分不会使人中毒。

(　　)煤气是一种气体。

(　　)其中主要的、占很大比重的成分就是一氧化碳，写成分子式就是CO。

(　　)它是煤燃烧时氧气不足而形成的，会使人中毒。

(　　)《最长的一天》的作者 Cornelius Ryan，出生于爱尔兰。

(　　)他先后在路透社、伦敦《每日电讯报》、《时代》周刊、《生活》杂志担任记者。

(　　)然后他又赴太平洋战区，曾因工作出色在美国数次获奖。

(　　)他在爱尔兰音乐学院毕业后，即从事新闻工作。

(　　)1943 年，他在《每日电讯报》工作期间出任欧洲战地记者，随军报道直至攻克柏林。

(　　)其中大雄宝殿为东晋时建造的，颇有唐宋建筑风格，又有地方特色。

(　　)东塔建于唐末五代的南汉王朝，是中国最古老最硕大的铁塔。

(　　)大殿后面东西两侧有两座铁塔。

(　　)西塔建于南汉大宝六年，比东塔还早四年，可惜早已经毁坏，现仅存三层。

(　　)光孝寺现存的建筑物有大雄宝殿、天王殿、睡佛阁以及东西铁塔等。

(　　)制作甜菜干时先将新鲜芥菜洗干净。

(　　)蒸后再晒，晒后又蒸。

(　　)如此反复三次以上，即所谓“三蒸三晒”。

(　　)把洗干净的菜晒1～2天，令菜叶变软。

(　　)然后用蒸笼蒸。

请说出以上几个段落分别属于哪一类说明文，使用了什么说明方法

二、阅读训练

电视遥控器使用说明

开机定时器的功能：预定时间一到，电源马上接通。

1. 按定时钮两次，“ON”会在荧屏上出现。

2. 按调整（∧/∨）按钮来设置定时（能设置长达12小时50分钟）。

3. 开机定时器指示会在电视荧屏上出现，同时开始计算时间。

4. 定时设置完毕后，按定时按钮。“ON”会在荧屏上消失，定时器开始运作。

5. 按遥控器上的⏻（电源开关），使电视机处于等待模式。

当被设置的时间一到，电视机立即自动接通电源，开启电视机。

注意：

• 如果要取消定时设置，可将定时器调整到0时0分(——：——)。

• 定时器“分钟”设置以10分钟为1个单位。

• 使用电视机上的主电源开关切断电源，或用其他方式切断电源时，定时设置就会被取消。

如果要保留时间设置，则必须使遥控器上的电源开关切断电源，使电视机处于等待状态。

• 电视机如果是由定时器开启的，就将在开机后2小时自动关机。

• 按遥控器上任何一个按钮都会使定时关机的功能被取消。

回答问题

1. 要使用开机定时功能，一共要按几次定时器按钮？
   A. 一次　B. 两次　C. 三次　D. 四次
2. 取消定时设置有几个方法？
   A. 一个　B. 两个　C. 三个　D. 两个以上
3. 有没有可能定时10小时15分钟？
   A. 有　B. 没有　C. 不知道
4. 如果你们设定的时间长度为3小时，然后你们都出去了，6小时以后回来，电视机是什么情况？
   A. 开着　B. 关了　C. 不知道

生　词

电源　diànyuán　（名）　power　把电供给电器的装置。
按钮　ànniǔ　（名）　button　用手按的开关。
设置　shèzhì　（动）　to set　建立。
遥控器　yáokòngqì　（名）　Remote controler　可以控制一定距离以外的电器的小装置。
开启　kāiqǐ　（动）　to start　开。

阅读 2

英国病人

本书讲述的是第二次世界大战的最后时刻，在意大利北部山区的破别墅里，躺着一位被称为“英国病人”的神秘男子，他从一架坠毁的飞机中被救出来，谁也不知道他到底是什么人。加拿大女护士哈纳离开英国部队，留在别墅里照顾他。她的朋友，间谍卡拉瓦焦和一个叫基普的印度锡克族工兵也来到别墅，和他们一起生活。

哈纳等人慢慢从“英国病人”那里了解到他的身份和故事。他叫奥尔马希，是匈牙利探险家和地理学家。他爱上了有夫之妇凯瑟琳，他们成为情人。凯瑟琳的丈夫为了报复他们，驾驶着飞机撞到山上，他自己死了，凯瑟琳受了重伤。为了从沙漠中救出重伤的情人，奥尔马希徒步穿过沙漠，去向英国部队求助，但因被怀疑是间谍而被捕。为了能够返回凯瑟琳身边，奥尔马希投靠了德国人。三年后，奥尔马希终于回到凯瑟琳身边，他驾驶着飞机带着凯瑟琳的尸体逃离沙漠，飞机爆炸了，奥尔马希变成火人掉到地面。在那些日子里，哈纳和基普相爱了。然而，当美国人在日本投下了原子弹时，作为一个每天为了自己的工作——拆除炸弹而冒着生命危险的工兵，作为一个为殖民者工作的被殖民者，基普感到被愚弄的痛苦。于是他远远地离开了跟战争和白人有关的一切，包括哈纳。

作品里既有冒险和侦探，也有爱情和哲学，充满美感、神秘和狂热，它将读者引入另一个世界，并揭示这个世界与我们自身的关系。作者翁达杰是一位拥有诗人之心的小说家。

本书获英国小说最高奖——布克奖，为《纽约时报》畅销书排行榜冠军。根据本书改编的同名电影在1996年美国奥斯卡金像奖获九项大奖。

本书中文简体字版由作家出版社于1997年出版。

（根据小说《英国病人》简介改写）

回答问题

1. 作品中有几个主要人物？分别是谁？
2. 凯瑟琳和他的丈夫死在什么地方？
3. 为什么奥尔马希投靠德国人？
4. 为什么基普离开了哈纳？
5. 这本书的中文版本可能有几个？
6. 在英国，看这本书的人多吗？

生　词

工兵　gōngbīng　（名）　engineer　担任修筑道路、工程，设置或排除障碍物的士兵。
被捕　bèibǔ　（动）　to be arrested　（被认为犯了罪的人）被警察或军队抓住。
投靠　tóukào　（动）　go and seek refuge with s. b.　前去依靠别人。
爆炸　bàozhà　（动）　blow up
原子弹　yuánzǐdàn　（名）　atomic bomb
炸弹　zhàdàn　（名）　bomb　一种爆炸的武器。
殖民　zhímín　（动）　colonize

阅读 3

激光除污

总有人喜欢在建筑物甚至是名胜古迹上乱写乱画，这给清洁工人带来了难题：既要清除这些污迹，又不能破坏建筑物的外观。一种以前应用于军事的高科技产品，如今将为清洁工人解决这个问题。

这种产品叫“便携式除污激光枪”，它可以在 1 小时内将180×1.5米范围内的污迹清除掉，而不留任何痕迹。

激光除污的原理是使声波与光波一起工作。它能够产生功率为100 瓦、频率为 1000 赫的绿色光波，当光波照到需要清理的建筑物表面时，部分能量将会转化为声波，声波又会被建筑物的表面反射过来。被反射的声波与激光枪光波转化的声波会一起使建筑物表面的污迹产生轻微爆炸而掉下来。

这种除污激光枪价值昂贵，除了清洁建筑物外，对于保护历史文物也有很大作用。激光枪内部还有多个套管和透镜，用以调节激光的强弱与密集程度，不仅适合不同的环境使用，同时也能保护使用者的视力。

（根据《海外星云》1997 年第 2 期文章改写）

判断对错

(　　)1. 激光枪原来可能是一种武器。
(　　)2. 激光枪发出的光是绿色的。
(　　)3. 光波使建筑物表面的污迹发生爆炸。
(　　)4. 建筑物表面能够反射声波。
(　　)5. 激光枪是不能随便调节的。

生　词

激光　jīguāng　(名)　laser
痕迹　hénjì　(名)　mark　物体上留下的印。
声波　shēngbō　(名)　sound wave
光波　guāngbō　(名)　light wave
反射　fǎnshè　(动)　reflex

完型填空

为什么猫能抓老鼠

首先因为它有一双明亮的眼睛，无论是在多么(1)的夜里，(2)能看清楚东西。其次，它的耳朵也很灵，能够随意转向声音的来处，只要一有声音，哪怕是非常(3)的声音，它也能及时听出来。(4)猫的脚趾上有爪，这就是猫能在地上走得飞快，还能爬上屋顶、大树和高墙去抓老鼠的原因。最后，猫的脚底还有一块软而厚的肉，因而走起路来没有(5)，可以在老鼠还没发现的时候接近它们。

1. A. 明亮　B. 黑暗　C. 晚　D. 可怕
2. A. 还　B. 不　C. 也　D. 却
3. A. 小　B. 大　C. 低沉　D. 奇怪
4. A. 第三　B. 再次　C. 还有　D. 另外
5. A. 痕迹　B. 问题　C. 声音　D. 方向

第五十七课

一、技　能

议论文的阅读

在阅读议论文时，读者常常遇到立论方法以及相关结构，主要有以下几种：

1．事实论证。这种方法是用事实作为论据，举例说明论点。在结构上，这类议论文先根据事实，一一论证支持主要论点的分论点，然后再归纳总结，证明自己的主要论点。

2．事理论证。这种方法用某种已经知道的某类事物的共同本质，去分析未知的具体事物，揭示它特殊的本质。在结构上，这类议论文首先需要提出一个大前提：常常是引用一些经典的理论和公认的正确判断，然后提出小前提，即关于需要论证或分析的具体事物的事实情况（或揭示它与大前提之间的联系），最后根据前面的分析论述推导出结论。这种议论文在结构上应用了逻辑上的演绎法。请看以下几句话：

语言学院的留学生都是来学习汉语的。和子在语言学院学习。所以，和子肯定也是学习汉语的学生。

这里一共只有三句话。第一句话是“大前提”，告诉我们在语言学院学习的留学生有一个共同点：学习汉语。第二句是“小前提”，具体的事实情况——和子是那里的学生。最后一句是结论。

3．类比—对比论证。把两种相同、相似或相反的事物放在一起，进行比较、推论，从而得出有关结论。这是一种形象的、间接的论证方法。

4．因果论证。这种论证利用事物本身的因果关系，或由原因推论出结果，或由结果推论出原因。一般来说，原因是论据，结果是论点。

练习

读后回答问题或填空

我喜爱《读书》，因为它使我觉得还有所希望。我想起了台湾的龙应台。读过她的《龙应台小说》及其他作品的人都知道，那些观点鲜明、语言锋利、尖锐地指出各种社会、人生问题的文章，使人思考、震动（但不是说她的评论就是公正的定论）。相比之下，大陆的文艺批评界似乎有所不足：缺乏震动人的文章；对于某种引人注意的问题，缺少深刻的讨论。例如前一段时间对贾平凹的作品，现在对莫言的作品，似乎说一下就完了，没有从社会学的、文艺学的各个方面进行深入的研究和讨论。我们不是事事求结论。但我认为还是应该出现“龙应台”。

1. 这段文字运用了什么论证方法？
2. 作者对《读书》的希望是什么？

1996 年第 3 期《读书》的一篇题目为《无话则短》的文章，指出《读书》有“多语症”——“用了好多不知是真外国人还是假外国人编造的术语”，“长出了十倍的胖肉”。我想，有的文章长，有的文章短，这是很自然的。把事情和问题简单明白地写出来当然很好，但把自己的感情和看法完全详细、毫无保留地写出来的长文章，也是一种“特色”。例如：章怡的文章，占了 1996 年第 4 期的 11 页，可以说是“胖”了。他拿弗洛伊德等学者的理论来抒发对“禁区”的“压抑感情”，文章虽长，但肯定长得有道理。李长声的《漫录》占 8 页，介绍日本国内对大江健三郎的评价，我认为 8 页是不够的，如果再长一些，能使人对诺贝尔文学奖有更深入的了解和认识。至于李辉关于“三家村”的文章，占 9 页，似乎是完全没有必要的“胖肉”。长有长的道理，有些事是怎么也说不完的。

1. 这段文章的作者同意《无话则短》的作者的观点吗？
2. 他采取了什么具体论证方法？

（1）作家从来分为两类：一类是为文学而人生；一类为人生而文学。（2）茅盾无疑是属于后者。（3）而作品也同样分为两类：一种是传世之作；一种是济世之作。（4）茅盾的小说当然也属于后者。（5）茅盾的文学观决定于他的人生观，他对社会采取的是亲身介入的方式，在他身上，中国古代知识分子的人生理想体现得特别充分。（6）因此，茅盾在创作小说时，必然将他的文学与政治结合起来。

这个段落使用了事理论证的方法，那么段落的大前提是第 1 句和第（　　）

句。段落的小前提是第 4 句和第(　　)句。段落的结论是第(　　)句。

在萨义德提出"东方主义"之后,时间已经过去多年了,西方也经过了很多的政治斗争和变化,现在大部分人在写作和说话时已经非常小心了。但对现在的任何人来说,不理睬西方的理论又是很难的。因为像民主、妇女权利、艺术的价值等等,这些现代性的理性形式,我们都是接受的,也没有办法反对。而英语在世界各地已经成为一种强迫性的力量——不一定对每个人,但至少在学术翻译、国际交往中是如此。另外,虽然在"其他人"中(包括西方妇女和非西方的男人和女人)也产生了非常优秀的思想家,但奠定现代社会基础的思想家们——黑格尔、马克思、弗洛伊德、福柯——全都是白人,西方男性。

1. 这段话用了什么论证方法?
2. 作者要论证的观点是什么?

(上述段落改写自《读书》)

许多学者认为:第二语言教学既是一门科学,又是一门艺术。这一概括从本质上反映了第二语言教学的性质和特点。对外汉语教学也是一种第二语言教学。因此,它跟作为第二语言的其他语言的教学,例如跟作为第二语言的英语教学、法语教学、日语教学等没有任何区别,它既是一门科学也是一门艺术。

1. 这个段落用了事理论证的方法吗?
2. 如果是,请指出大前提、小前提及结论。

二、阅读训练

阅读 1

成功的餐厅

有一个古老的故事,说一个国王到一家老餐厅吃饭,餐厅环境差,服务也不好。于是国王在这餐厅边上开了一家漂亮、干净、服务好的新餐厅。开始的时候,顾客都来他的餐厅吃饭。可是不久以后,他们又都回到了那家老餐厅。原来,老餐厅的菜做得比新餐厅好吃多了。

就经营实际来说，餐厅在开业之前，必须先把这个问题想清楚：能否把食物做得好吃？如果对此没有信心，最好就不要开业；如果餐厅已经开张，要做的事则是想办法保持好的食物品质，或是找一个好的厨师。能够找到一位手艺好的厨师，你的餐厅就成功了一半。但有时，问题也不是那么简单，成功也不是那么容易，食物好不好跟管理也有很大关系。

以台湾人爱吃的卤肉为例，要做出一锅香喷喷的卤肉并不难，只是肥肉瘦肉的比例、调味料的搭配有所不同，但是要想卤肉在端给客人的时候保持它最好的口味，就不容易了。由于卤肉需要花时间，一次只能卤一锅，卤好了马上上桌，口感最好。如果放久了，肉就老了，不好吃了；要是相反，卤的时间不够，则更是完全没有味道。然而卤肉店的客人上门，有非常明显的规律性。中午以前人很少，午休时间排大队，午餐过后又没人了，直到傍晚后。普通的卤肉店，人多的时候卖给客人卤得不够时间的卤肉，人少的时候卖给顾客的是卤得太老的卤肉。因此，只有准确地估计每一段时间的客人数量，安排合适的卤肉量，才能让所有的客人都享受到最好的卤肉。这不只是厨师的任务，更是管理者的责任，也是不少卤肉店成功的关键。

同样的道理，各种不同的餐厅，都有不同的成功关键：肉质是烤牛排的关键，好厨师加上好牛肉，才有好牛排；新鲜是海鲜的关键，好厨师加上活蹦乱跳的海鲜，才有好吃的海鲜。

成功的因素是复杂的，它与原料有关，与厨师有关，与管理有关，谁掌握得好，谁就成功。

（根据《海外星云》1997年第2期文章改写）

回答问题

1. 本文分别论证了经营成功的餐厅的几个因素？
2. 本文用了什么论证方法？

生　词

卤肉　lǔròu　（名）　pot-stewed meat　用盐水加五香或用酱油煮的肉。
香喷喷　xiāngpēnpēn　（形）　savory, appetizing　好吃的。
排队　páiduì　line up　一个跟一个按顺序排成一行。

阅读 2

论友谊

儿子只是尊敬父亲，他们之间不会有友谊。友谊是以平等的交流为基础，而这种交流却不能存在于他们之间，他们之间的差异太大了，而且，也许它还和天然的义务冲突。因为父亲不但不能把所有秘密的思想告诉给儿子听，而且儿子也不能对父亲加以责备和规劝。但这两方面却是友谊最重要的内容和任务。曾有许多国家，那里的风俗是子杀父，父杀子，目的是避免互相阻碍，且有自然法律为此风俗做根据：一个人依靠另一个人的死亡才得以生存。

兄弟的名分是美丽的，充满了挚爱亲情。就是为了这个原因，人们称呼自己的好朋友为“兄弟”。但是财产的聚与分，以及一个人富有而另一个人贫穷，种种因素对分化兄弟情谊都有极大的作用。既然兄弟们要把他们的事业用同样的速度推上同一个轨道，那么他们便不得不常常发生冲突，互相争夺。真正完美的友谊所具有的契合和关系，往往不会存在于亲兄弟之间。

父亲和儿子是不可选择的：我父亲跟我格格不入，无法相处；兄弟也一样。而友谊却是自由选择的产物。

（根据《蒙田随笔》改写）

选择正确答案

1. 作者认为父子之间没有友谊的原因有:
   A. 财产问题　B. 交流问题　C. 天然的义务冲突　D. B和C
2. 作者认为兄弟之间没有友谊的原因有:
   A. 财产问题　B. 事业问题　C. 个人经济情况　D. 全部
3. 作者认为友谊的主要内容和任务是:
   A. 自由选择　B. 爱和尊重　C. 平分财产　D. 都不是
4. 跟一个与你"格格不入"的人在一起会使你感到:
   A. 很高兴　B. 很难受　C. 很有意思　D. 很兴奋

生　词

天然　tiānrán　(形)　natural
义务　yìwù　(名)　duty, obligation
责备　zébèi　(动)　reproach, blame　批评。
规劝　guīquàn　(动)　admonish　用道理劝说。
名分　míngfèn　(名)　designation　指人的名义、地位和身份。
契合　qìhé　(动)　correspond to　投合,合得来。

阅读 3

反面乌托邦的启示

最近,花城出版社出版了《我们》、《1984》和《美丽新世界》,称为"反面乌托邦(Utopia)三部曲"。

反面乌托邦,大概是指前人幻想中的乌托邦世界,不是理想的自由幸福的乐园,不是人类的美梦,相反,它是人类的恶梦,是反人性的,是严密的社会组织与先进技术结合并形成的对人类的可怕控制。这是一个有趣的概念。

我们已经习惯了被简单化了的历史乐观主义,即简单地认为今天比昨天好,明天比今天好,后天比明天好。把历史看成一个爬山的过程,爬的时间越长,爬得就越高。因此,"未来"总是鼓励我们情绪。人们希望马上摆脱过去进入未来。我们认定,未来是解决了今天的一切问题的欢乐世界。未来就是肯定的进步和幸福,过去则是一片黑暗,而现在的意义就在于通过牺牲和努力迎接未来。

而反面乌托邦提醒我们，未来也可能是坏的，今天的一切未必事事胜过昨天，而明天的一切也未必事事比今天强。不断发展的技术、社会秩序、效率，都可能反过来成为人类的敌人，都可能使人类成为它们的控制物和牺牲品。三部小说都为我们描绘了一幅幅可怕的未来图景。

三部小说的作者对科学主义和技术主义的批评使中国的读者感到新鲜。在西方世界，科技的日新月异使人感到它几乎是“无所不能”的，而人们对人际关系、社会生活、家庭婚姻与个人内心生活中的种种问题仍然感到无能为力。一边是无所不能，一边是无能为力，巨大的不平衡造成了小说家们的恶梦——反面乌托邦。

在中国谈论反面乌托邦似乎还太早了。我们正苦于生产力不发达、劳动效率不够高、科学技术不够进步。我们当然要坚持历史的乐观主义，努力建设一个现代化的社会和国家。然而我们的乐观主义必须是清醒的乐观主义。我们所追求的现代化应该是带来人的全面发展的现代化，而不仅仅是带来技术、经济发展的现代化。反面乌托邦让我们更深刻、更全面地思考一些问题，获得更多的远见。

（根据王蒙《欲读书结》改写）

判断对错

(　　)1. 这是一篇读后感(book review)。
(　　)2. 从前的人认为乌托邦是一个美好幸福的世界。
(　　)3. 看了文章中提到的三部小说，读者可能感到不愉快。
(　　)4. 作者反对那三部小说的作者对现代化的看法。
(　　)5. 作者认为历史乐观主义太简单了。
(　　)6. 作者认为西方的现代化是不平衡不全面的。

生　词

乐观主义　lèguānzhǔyì　（名）　optimism
无所不能　wúsuǒbùnéng　（形）　omnipotent　没有什么不能做到的。
无能为力　wúnéngwéilì　（形）　helpless, incapable of action　毫无办法，没有能力。
平衡　pínghéng　（动、形）　balance, equilibrium
远见　yuǎnjiàn　（名）　foresight　远大的眼光。

第五十八课

一、技　能

新闻阅读

新闻是对新近发生的、有社会意义的事实的报道。而所谓报道，就是通过报纸、杂志、广播、电视、电脑互联网或其他形式把新近发生的事情告诉公众。新闻最主要的特点是：第一，讲的是客观事实，绝不能虚构；第二，迅速及时，说的是新近发生的事情，否则就是旧闻；第三，要有社会意义，是公众关心的事。

新闻一般包括六个要素，也就是六个应该有的内容：①什么时间；②什么地点；③什么人物；④什么事情；⑤什么原因；⑥怎样发生。比如下面这个新闻：

朝鲜半岛新鲜事　民间热线贯南北

据新华社今日上午专电　朝鲜半岛南北双方4日下午开通了战后第一条民用电话线路，朝鲜新浦琴湖地区与汉城的韩国通信公司总部进行了首次通话。

自朝鲜半岛分裂以来，韩国与朝鲜之间曾经进行过特殊目的的热线联系，但一直未能建立起供民间使用的通信线路。这次通信线路的开通，是为了落实“朝鲜半岛能源开发组织”帮助朝鲜建设轻水堆发电厂的计划而实现的。

（摘自1997年8月5日《羊城晚报》）

新闻的基本结构有两种。一种是倒金字塔结构，即把最重要、最新鲜的新闻事实或者结论放在最前面，然后按照“重要——次重要——次要”的顺序安排其他事实材料。这种结构好像一座倒放的金字塔，塔底在上，塔尖在下。如上面那篇新闻。

另一种是金字塔式结构，按照事情发生的时间顺序安排事实的材料，或者按照事情发展的逻辑关系来安排材料。这种结构我们在做练习时将会看到。

当然，也有两种方法并用结构。如一开始叙述最重要的事实或说出最重要的结论，然后按照事情发展的时间顺序或者按照事情发展的逻辑顺序进行叙述。

新闻的标题很重要。新闻的标题除了主要的题目（正题），还有引题和副题。引题在正题前面（上面），副题在正题后面（下面）。正题一般是揭示新闻的主要内容，引题和副题可能是补充正题的内容，也可能是对新闻给以评价，表达作者的观点。如：

今天，香港回归后学校开课第一天

校园奏起国歌升国旗

国家意识教育正在实施和加强

标题的作用是：1. 让读者、听众、观众了解主要内容；2. 评价新闻，引导读者、听众、观众理解新闻的主题；3. 吸引读者、听众、观众的兴趣。上边的引题、正题是主要内容，副题是新闻评价。

新闻的内容一般分为三部分：导语、主体、结尾。在一般情况下，导语往往把最重要的内容写出来。有的导语包括了新闻的五六个要素。如《世界冠军的婚礼》的导语：

元旦前夕，二十六岁的世界冠军巫祝英同普通工人魏玉萍结婚了。他俩简朴的婚礼，在郑州传为美谈。

结尾有时是总结全文，有时是进行评论。而有的新闻可能没有结尾。

练习

阅读下面的新闻标题，指出哪个是正题、引题或副题及其作用

1. **香港，一个新纪元的开始**
   英国国旗在倾盆大雨中降下
   奥尔布赖特敦促中国许诺少干预
2. **中国在香港上空升起五星红旗**
   查尔斯王子：我们将最密切地关注这个新的时代
   彭定康：应当记住过去而不是把它忘掉
   江泽民：中国将实行“一国两制”
3. **京剧舞台上的“洋”贵妃**
   美国留学生魏莉莎主演《贵妃醉酒》
4. 国务院规定职工养老保险个人账户标准
   个人缴纳工资的11%
5. 征地造房为什么等死人
   一道公文背着39颗印章旅行
   希望有关部门去繁就简，多办实事
6. “七五”期间各级人事部门牵线搭桥
   65万“牛郎”“织女”团圆

解决干部后顾之忧 调动了工作积极性

阅读下面的三条新闻，并回答问题

6月17日晨8时左右，玉渊潭公园八一湖畔传来了“快救人啊”的喊声，只见一个老人整个身体已经被吸入大坝的溢水口。岸边一个中年男子赶快跳进水中，迅速向老人游去。他紧紧抓住老人的胳膊，拼命向岸边游。水流急，岸边又长满青苔，中年人用左手手指紧紧抠住岸边的石头缝。这时，其他游泳的人也过来帮忙，终于把老人拉上岸。人们发现老人脖子上有两个伤口，鲜血直流。那位中年人因公务在身，委托其他同志将老人送到附近的复兴医院抢救。临走时他掏出身上的二百元，说：“救人要紧！”

事后，人们才打听到那位老人是北京市城建总公司的离休干部，经医院抢救，现正在康复之中。那位中年男子是东城区金刚石厂的工程师田自强。

（据1997年7月7日的《北京晚报》文章改写）

1. 本文的结构是____________。

A. 金字塔式　　B. 倒金字塔式　　C. 两种结构并用

2. 写出本文中下列新闻要素的具体内容：

时间________________；地点________________；

人物________________；事情________________；

本报讯　记者吴广崖报道：从中国乒协获悉，为纪念中、美建交二十五周年，中国乒乓球协会特意主办的国际乒乓球精英赛将于本月8日～9日在北京月坛体育馆举行。

二十五年前，中国的“乒乓外交”成功地敲开了中美关系正常化的大门。为纪念当年这一“小球推动大球”的历史佳话，中国乒协推出了一系列活动，而国际乒乓球精英赛将是本次活动的压轴戏。据了解，本次比赛将有八名男选手参加，除目前尚未知名的两位美国选手外，其余选手分别为：韩国金泽洙、日本松下浩二、比利时塞弗、瑞典佩尔森、中国孔令辉和刘国梁。比赛将采用单淘汰制的方法进行。

（引自1997年8月1日《羊城晚报》）

1. 本文的结构是：

A. 金字塔式　　B. 倒金字塔式　　C. 两种结构并用

2. 写出本文中下列新闻要素的具体内容：

时间____;

地点____;

人物____;

事情____;

原因____;

怎么样______________________________________。

3. 本文导语包括了新闻的几个要素？

A. 三个　　B. 四个　　C. 五个　　D. 六个

联合三家银行　推出钞票套装

新华社香港电　为纪念中华人民共和国香港特别行政区的成立，汇丰银行、渣打银行和中国银行近日联合发行了港币 20 元钞票套装纪念版。

每套钞票套装纪念版内有三张分别由三家发钞银行于 1997 年 7 月 1 日发行的港币 20 元钞票，三张钞票号码相同，均属无字头 97 系列。该套钞票套装纪念版共发行 1 万套，并已获香港金融管理局批准。

根据基本法第一百一十一条规定，香港特别行政区政府可授权指定银行发行或继续发行港币。三家现行发钞银行联合发行钞票套装纪念版，反映了它们在香港特别行政区将继续负有发钞的责任。

三家发钞银行昨天向香港历史博物馆赠送了首套 970000 号纪念版，作为送给广大香港市民的一份回归礼物。

（引自 1997 年 7 月 5 日《羊城晚报》）

1. 本文的结构是：

A. 金字塔式　　B. 倒金字塔式　　C. 两种结构并用

2. 根据文章，发行港币需要哪里批准？

A. 中华人民共和国　　B. 香港特别行政区

C. 香港金融管理局　　D. 香港历史博物馆

3. 本文导语包括了新闻的几个要素？

A. 三个　　B. 四个　　C. 五个　　D. 六个

二、阅读训练

“探路者”成功踏上火星

飞行七个多月　航程五亿里

据新华社今日上午专电　美国“探路者”号火星探测飞船在格林威治时间7月4日17时07分(北京时间5日凌晨1时07分)成功地在火星着陆,成为自1976年“维京”号飞船在火星着陆后又一艘在火星着陆的飞船。

由于着陆地点正好在火星背对地球的一面,美国宇航局在“探路者”着陆几分钟后才收到它发回地球的微弱信号。加利福尼亚州帕萨迪纳研究中心的科学家们在收到信号后一片欢腾。

“探路者”是在降落前5分钟进入火星大气层的,并按照预定时间完成了着陆程序。降落伞成功地将“探路者”进入大气层时高达26460公里的时速降了下来。

如果“探路者”的所有设备工作正常,第一批发回的电视信号将在格林威治时间23时30分传到地球。这些电视信号中将包括它的自拍照。科学家们将根据这些信号和数据来决定是否允许“探路者”上惟一的“乘客”——六轮小机器人索杰纳到火星表面开始工作。索杰纳将用它的3个摄像机拍摄图像，并用分光仪对火星表面岩石的化学成分进行分析。

价值1.25亿美元的“探路者”是经过7个月时间、4.97亿公里行程的飞行到达火星的，美国宇航局的官员称这次航行完美无缺。“探路者”将在今后1个月内传回大量有关火星表面和火星大气成分的数据资料。

美国还计划在今后8年内发射8个空间探测飞船，以收集火星数据。

(引自1997年7月5日《羊城晚报》)

选择正确答案

1. 本文的结构是：
   A. 金字塔式　　B. 倒金字塔式　　C. 两种形式混用　　D. 另一种形式
2. 根据文章内容，美国科学家大约在格林威治时间7月4日几时几分收到“探路者”在火星着陆的信号？
   A. 17时07分　　B. 1时07分　　C. 23时30分　　D. 17时13分
3. 根据文章内容，“探路者”号着陆火星的主要目的是什么？
   A. 将机器人索杰纳送上火星
   B. 用摄像机拍自拍照
   C. 收集传回火星表面和大气成分的资料
   D. 分析火星表面岩石的化学成分
4. 文章第几段表达了副题的内容？
   A. 第一段　　B. 第三段　　C. 第四段　　D. 第五段

生　词

火星　huǒxīng　(名)　Mars　太阳系九大行星之一，按离太阳从近到远的次序排列为第四颗。
探测　tàncè　(动)　对不能直接观察的事物、现象用仪器进行考察和测量。
着陆　zhuólù　(动)　(飞机等)从上空到达地面。
降落　jiàngluò　(动)　落下，下降着陆。
大气层　dàqìcéng　(名)　atmospheric layer　地球外面包围的气体层。

程序　chéngxù　（名）　事情进行的先后次序。
机器人　jīqìrén　（名）　一种自动机械，由电脑控制，能代替人做一些工作。
图像　túxiàng　（名）　画成、摄制或印刷的形象。

阅读 2

促进相互了解与信任　维护地区和平与稳定

第四届东盟地区论坛会议闭幕

钱其琛阐述我关于加强地区安全合作原则

据新华社必打灵查亚（马来西亚）7 月 27 日电　于今天举行的第四届东盟地区论坛会议在闭幕时发表一份主席声明，呼吁论坛成员为增进相互间的了解和信任而继续努力。

声明说，东盟地区论坛已发展成为本地区进行多边安全对话与合作的一个重要论坛，在促进成员间的相互了解和信任、维持本地区的和平与稳定方面发挥了积极作用。

声明说，与会部长们讨论了与本地区的和平安全有关的一系列问题，其中包括柬埔寨问题、东南亚无核区、核不扩散、裁军、缉毒和朝鲜半岛等问题。他们认为，尽管目前还面临着一些挑战，但亚太地区的安全环境仍然得到改善，本地区仍继续保持和平与稳定。

今天上午，中国国务院副总理兼外长钱其琛在会上发表讲话，阐述了中国关于加强地区安全合作的原则。他说，作为亚太一员和联合国安理会常任理事国，中国高度重视维护亚太地区的和平与稳定，并为此做出了自己的贡献。他说，中国奉行独立自主的和平外交政策，与亚太各国睦邻友好、平等相处。中国历来主张以和平手段解决国家间的争议，与有关国家进行友好坦诚的对话与磋商，以增进信任、解决问题。

来自东盟九个成员国和东盟十个对话伙伴国以及两个观察员国的外长、外长特使或其他部长出席了今天的会议。东盟成员国是泰国、菲律宾、新加坡、马来西亚、印度尼西亚、文莱、越南、老挝、缅甸；东盟的对话伙伴国是中国、美国、俄罗斯、日本、加拿大、澳大利亚、新西兰、韩国、印度和欧盟；东盟观察员国是柬埔寨和巴布亚新几内亚。

选择正确答案

1. 本文的正题和引题分别表达什么意思？
   A. 本文的主要内容和中国领导人的讲话内容
   B. 本文的主要内容和会议的主题
   C. 会议的主题和本文的主要内容
   D. 会议的主题和中国领导人的讲话内容
2. 根据文章，参加本次东盟地区论坛会议的有多少国家的人？
   A. 九个　B. 十个　C. 十九个　D. 二十一个
3. 根据文章，这次会议讨论了什么题目？
   A. 核不扩散　B. 安全环境　C. 裁军　D. 日本
4. 下面哪个国家不是东盟对话伙伴？
   A. 韩国　B. 中国　C. 新西兰　D. 柬埔寨
5. 根据文章，中国不属于下列哪一类？
   A. 亚太一员　B. 联合国常任理事国　C. 东盟成员　D. 东盟伙伴

生　词

论坛　lùntán　（名）　对公众发表议论的地方。
呼吁　hūyù　（动）　appeal；call on　向个人或社会说明某种情况，号召大家做某事。
信任　xìnrèn　（动）　trust　（对人）相信而敢于把某些事情交给他（或她）做。
缉毒　jídú　检查卖毒品的行为，追捕卖毒品的人。
阐述　chǎnshù　（动）　清楚地说明、论述。
奉行　fèngxíng　（动）　遵照执行。
坦诚　tǎnchéng　（形）　honest；candid　坦白、诚实。
磋商　cuōshāng　（动）　反复商量，仔细讨论。
特使　tèshǐ　（名）　国家临时派的有特殊任务的外交代表。
观察员　guāncháyuán　（名）　国家派的列席国际会议的外交代表，只有发言权，没有表决权。

阅读 3

韩国一客机在关岛坠毁

30人死里逃生　大部分乘客罹难

据新华社今日上午专电　韩国航空公司一架载有254人的波音747—300大型喷气式飞机6日凌晨在关岛坠毁。据发稿时收到的消息，除30人死里逃生外，其他乘客全部罹难。

韩国航空公司的官员说，这架飞机是从汉城飞往关岛的801航班，机上共有231名乘客和23名机组人员。其中多数是韩国旅游者，另有13名美国人和1名日本人。

这架飞机是在当地时间1时50分（格林威治时间5日下午15时50分）在距机场5公里处坠毁的。当时飞机正准备降落，但突然从雷达上消失，与地面指挥塔失去联系。据关岛机场部门发言人说，大约有29～30名乘客可能幸免于难，他们已经被送往附近的海军医院进行抢救。

据报道，飞机降落时机舱内出现火情。此外，当时该地正在降暴雨。

（引自《羊城晚报》1997年8月6日）

选择正确答案

1. 根据文章，可能有多少人在这次空难中死亡？
   A. 231　B. 30　C. 224　D. 254
2. 根据文章，幸免者在哪里抢救？
   A. 民间医院　B. 部队医院　C. 海军医院　D. 海洋医院
3. 根据文章和常识，下面哪句话的意思最可能跟这次飞机坠毁有关系？
   A. 凌晨看不见　B. 雷达有问题　C. 乘客太多　D. 降暴雨

生　词

坠毁　zhuìhuǐ　（动）　（飞机等）从天空摔下来毁坏。
罹难　línàn　（动）　由于突然的灾害或危险而死亡。
雷达　léidá　（名）　radar　一种无线电探测设备。

第五十九课

一、技　能

散文阅读与欣赏

散文是一种比较自由的文章形式，它的特点有：(1)写真人真事，真情实感，不虚构人物、故事、情节和细节。(2)选用的材料广泛、自由，什么都可以写。(3)写法灵活。可以叙述、描写、抒情，也可以议论、说明；人物、景物、事情、细节等都可以是结构中心；段落的先后次序，可以根据时间先后或空间转移，还可以根据作者的想法或感情变化。(4)语言简洁、朴素、优美，在自然之中表现出情感和韵味。

根据内容和表现方式的不同，散文可以分为三类：(1)记叙性散文：主要是叙述事情、人物，描写景物，通过这些叙述和描写，表现事情的意义、人物的品质、作者的感情。(2)抒情性散文：主要是表达作者的感情，写事物和人，是为表达感情服务的。抒发感情可以是直接的，也可以是间接的，如通过写景物、事物来表达感情。(3)议论性散文：通过对具体事物的形象描写来议论、说明道理。上面的分类不是绝对的。如写景物的散文，往往是用景物表达作者的情感，把作者的情绪融合在景物的描写里，物我合一。这一类的散文，很难说是记叙散文还是抒情散文。

阅读散文时，首先要明白作者写的是什么，是叙述一件事、讲一个人，还是描写景物。同时，还要理解作者通过这些事情、人物、景物，表达什么意思，尤其要感受作者通过叙述和描写所要表达的感情。欣赏好的散文，要注意感受散文中体现的美，如欣赏散文的语言美，并通过联想，感受文字中透出的情景美、韵味美、意境美。

练习

我的面前跳着一只小鸟，它使我想起了十多年前的一件事。

我小时候很喜欢表哥，他常常来我家玩。有一天，他带来了一只可爱的“小鸟”，它的小脑袋圆圆的，身子黄黄的，不停地叫着，真可爱。表哥告诉我，这小鸟长大以后会变成公鸡。当时我不敢相信，这么可爱的小鸟怎么会变成那么凶的公鸡呢？可后来我知道它真的是一只鸡，因为它开始一点点变大了，变白了。它那可爱的黄毛都哪儿去了？我觉得既神奇又可惜。

可我还是喜欢那只“小鸟”，一放学回家就逗它玩。它长大了可我还是叫它小鸟。

有一天放学回家，我的小鸟不见了。我问妈妈，她说：“爸爸把它带到朋友家去了。”我想：“爸爸带它去干吗？”原来我的好爸爸高高兴兴地把它吃了，我心里很难过，哭了一整天。我爸爸说：“要不要一只小狗？”我说：“不要！”因为我知道等它长大以后，爸爸肯定又会高高兴兴地把它吃掉了。可爸爸还是买了一只小狗，但不久我把那小狗送给别人了，我怕有一天它变成一道菜，被端到我们的餐桌上。

（引自1997年1期《散文》，作者是韩国人）

选择正确答案

1. 这是一篇属于什么类别的散文？
   A. 写人的叙述性　B. 写事的叙述性　C. 抒情性　D. 议论性
2. 这篇散文语言方面的特点是：
   A. 简洁朴素　B. 优美感人　C. 很有韵味　D. 充满动感
3. 本文结构上的特点是：
   A. 以空间为顺序　B. 以景物为中心
   C. 以人物为中心　D. 以时间为顺序
4. 对“小鸟”外表的细节描写在文章的第几段？
   A. 第一段　B. 第二段　C. 第三段　D. 第四段

真抱歉，我连他的真名都想不起来了。和他同时期的研究生都叫他“小陆克”。陆克是30年代美国滑稽电影明星。叫他小陆克是没有道理的。他没有哪一点像陆克，只是因为他姓陆，长脸，个儿很高，两腿甚长，走起路来有点打晃。这个人物有点儿传奇性，他曾经徒步旅行了大半个中国。所以能完成这一壮举，大概是因为他腿长。

他在云南大学附近的一所中学——南英中学兼一点儿课，我也在南英中学教一班国文，联大同学在中学兼课的很多，这样我们就比较熟了。他的特点是一天到晚泡茶馆，可成为联大泡茶馆的冠军。他把脸盆、毛巾、牙刷都放在南英中学下坡对面的一家茶馆里，早起到茶馆洗脸，然后泡一碗茶，吃两个烧饼。他的手指特别长，拿烧饼的姿势是兰花手。吃了烧饼就喝茶看书。他好像是历史系的研究生，所看的大都是很厚的外文书。中午，出去随便吃点儿东西，回来重新要一碗茶，接着泡，看书，整个下午就这么过去了。晚上出去吃点儿东西，回来还是泡。一直到灯火阑珊，才挟了厚书回南英中学睡觉。他看了那么多书，可是一直没有见他写过什么东西。联大的研究生、高年级的学生，喜欢在茶馆里高谈阔论，他只是在一边听着，不发表他的见解。他到底有没有才华？我想是有的。也许他眼高手低？也许天性羞涩，不爱表现？

他后来到了重庆，听说生活很潦倒，到了吃不上饭的程度。终于死在重庆。

（引自《汪曾祺散文随笔选》）

根据文章内容填空

1. 从类别来看，这篇文章属于________________，语言特点是________________。
2. 文章对“他”外表的描写是____。
3. 根据文章，“他”的壮举是____。
4. 根据文章，“他”的特点是____。
5. 根据文章可知，当时的大学生除了学习之外，很多人____________________。

秋天是乡愁的季节，也有沉重的色彩。清晨，哈德逊河平静纯透，我站在河畔，看见大块大块的积雨云从地平线升起，布满天空，平静的心不禁蒙上忧郁的影子。排成人字形的大雁，从北向南迁移，翅膀灰灰地扇动着，线条飘忽着前行，勾起我对家乡的思念。

最让人心动的还是夜雨秋声。傍晚，一片灰蓝的雨云升上半空，院子里秃枝上的几片残叶红得冷艳而凄凉。夜里，风声来了，落叶摔在木阁楼的斜顶上，发出令人心悸的叹息。一阵阵的雨滴，拍打着玻璃窗、木头板壁，敲出冷冰冰的声音。这时，我感觉到，冬天的足音已经临近。

（引自《世界日报》）

选择正确答案

1. 这段文章的特点是什么？
   A. 只描写景物　　B. 描写景物和发表议论相结合
   C. 只抒发感情　　D. 景物描写和感情表达融合在一起
2. 根据文章，“我”是一个：
   A. 远离故土的人　　B. 刚到家乡的人

C. 准备离开故乡的人　　D. 一直在老家的人
3. 本文语言上的特点是什么？
A. 简洁而干净　　B. 朴素而自然
C. 优美而具有色彩感和声音感　　D. 具有动感而让人兴奋激动

二、阅读训练

萍乡人吃辣椒

萍乡人跟辣椒特别亲。

在外婆家，早晨一人一碗干巴巴的米饭，菜只有一碗红辣椒炒绿辣椒。午饭晚饭的菜也很简单：黄豆炒辣椒，白菜炒辣椒。加菜时，有一碟辣椒炒小虾。二姨、小姨只要有辣椒就能吃下三大碗饭。一看到她们吃饭的样子，我就会心慌，就会觉得肚子特别饿。

仔细瞅过二姨、小姨的嘴，嘴唇挺厚，红红的，好像里面有很多血。再留心看别人家的女子，好像都有厚厚的红嘴唇。有一天，我突然明白了，那都是辣椒辣出来的呀！我很想有红红的厚嘴唇，就学着拼命吃辣椒。

萍乡的辣椒跟萍乡的女子一样，烈得很，冲得很，能辣得人七窍出火、出烟。那些辣椒一碰嘴唇，嘴里"哄"地一下就像烧起了大火，可怜里面的牙齿、舌头躲都没地方躲，只能慌忙应战。立刻，头发丝冒汗了，下巴尖冒汗了，眼泪鼻涕横着流，恨不得把自己扔进大水缸里泡起来。后来，吃辣椒时我干脆不嚼，飞快地往下咽，就像吞了一把火，火烧到脖子了——烧到胃里了——在烧肠子呢……结果，没辣出红嘴唇、厚嘴唇，只辣出了咽炎和胃炎。

萍乡辣子的特点是火辣火辣的，那火上还浇了油，辣得人肉痛心痛，痛到极点时，忽然会进入一种微醉的境界：血管里的血快活地跑来跑去，肚脐周围热乎乎的，一股辣气由下而上，直冲头顶，势如破竹，胃口"砰"地开了，眼珠子"刷"地转起来了。这时候，吃什么都好吃。这时候，觉得自己特能吃，特能干，特聪明。

（根据李兰妮《人在深圳》改写）

选择正确答案并回答问题

1. 从文章可以推测出，"我"在那时是一个：
   A. 别人家的女子　B. 不懂事的孩子　C. 成年人　D. 阿姨
2. 萍乡的女子嘴唇特别红，作者觉得原因是什么？
   A. 她们爱化妆　B. 她们常吃辣椒　C. 里面有很多血　D. 文章没有说
3. 下面哪一段描述了吃辣椒的感觉？
   A. 第一段　B. 第二段　C. 第三段　D. 第四段
4. 哪一段的内容主要支持第一段的意思？
   A. 第二段　B. 第三段　C. 第四段　D. 第五段
5. 你觉得文章哪几段最精彩？
6. 谈谈你吃辣椒的感觉。

生　词

辣椒　làjiāo　（名）　hot pepper; chili　一种植物的果实，能做菜，味道辣。
拼命　pīnmìng　比喻用最大的努力去做。
烈　liè　（形）　fiery　形容性格刚强，容易发火。
七窍　qīqiào　（名）　眼睛、耳朵、嘴、鼻孔等。
应战　yìngzhàn　接受别人的挑战。
咽　yān　（名）　pharynx　口腔后部的器官。
浇　jiāo　（动）　让水和别的液体落在物体上：他每天早上用水～花。

境界　jìngjiè　(名)　state；realm　事物达到的程度或表现的情况：吸毒会进入梦的～。
肚脐　dùqí　(名)　肚子中间凹进去的小坑，是出生时脐带脱落的地方，又叫肚脐眼儿。
势如破竹　shìrúpòzhú　像劈竹子一样，比喻不断胜利，不断前进，没有阻碍。

阅读2

紫荆花

我们中山大学留学生楼下有一条路，这条路走尽就到了紫荆园。为什么叫紫荆园呢？据说就是因为这里有很多紫荆花。

紫荆花当然是紫色的了，可这种紫色不是平常的紫色，而是它自己独有的颜色，就叫它紫荆色吧！紫荆花有五瓣儿，每瓣同样的大小，同样的颜色，花开时五瓣儿都向外伸展出来，接住阳光，好像想尽量地夸耀自己的美丽。花蕊弯曲嫩白，轻风一吹，花就轻轻地摇动，长长的丝头低下来像一个害羞的美丽姑娘一样。叶子也簌簌地响起来了，温柔的声音像在跟谁说悄悄话，又像是在唱一首情歌。真美啊！这时如果能够坐在树下，一边看花，一边听这种动听的声音，那真叫人陶醉。

秋天是紫荆花绽放的季节，那时这条路真是由花绣成的。到处都是花，花在地下，花在树上，花在路两边儿的草丛里，花还在人的眼中。这时如果你慢慢地走在路上，你会觉得好像走进了紫荆花王国，围绕在你身边的都是紫荆花。一眼望去，这条路就像一条紫荆色的丝绸，这条丝绸在秋天金色的阳光中，在寂寞的秋色中，实在美丽得让万物妒忌，这种美会给人心里造成一种只能意会不能言传的感觉。

秋天很少下雨，如有，也是夏天剩下的几许阵雨。你见过雨中的紫荆花吗？每朵花，每片叶子由于冷而颤动，它们拥抱着，依靠着，缩起身来躲避大雨。它们似乎很怕被风雨拉出母体来，扔到地上。哪朵花短命就慢慢地飞在空中，舍不得落下去。它们发出一种声音，如在恳求雨不要再下，风不要再刮，在大风暴雨咆哮的声音中，这种小小的声音太可怜了！雨停时，满路都是紫荆花，像一片长长的紫荆色地毯一样。虽然花开花谢只是生活的一种平常规律，但每次看见这样的景象我总是很难过，想走过这条短路而又不敢把脚踏上这些小小的花瓣，怕它们疼痛。看见人家说说笑笑地走在路上，踏在紫荆花上，我就觉得好像他们正踏在我的心上一样难受。

紫荆花并没有香味儿，可是在我的眼里它却是花草中最美的一种。昨天去教室时，抬头一看，忽然发现葱翠的叶子里有一朵小小的紫荆花在风中摇来摇去，好像也在看我，在呼唤我。啊，紫荆花又要开了！只要过一两个星期这条路就将盈满紫荆花。唉！这朵最早的小小的紫荆花啊，你实在让我的心跳得快了些，你知道吗？

（选自《外国学生汉语作文比赛获奖作品选》，作者（越南）何黎金英）

一、选择正确答案

1. 文章的第二、三、四段分别描写：
   A. 紫荆花的花朵，雨中（后）的紫荆花，秋天的紫荆花
   B. 介绍紫荆花的特点，秋天的紫荆花，雨中的紫荆花
   C. 紫荆花的花朵，秋天的紫荆花，雨中（后）的紫荆花
   D. 紫荆花的花朵，秋天的寂寞，雨中（后）的紫荆花
2. 作者写这篇文章的时候是什么季节？
   A. 初秋　B. 初夏　C. 秋末　D. 春天
3. 这篇散文是：
   A. 记叙性散文　B. 抒情性散文　C. 议论性散文
4. 本文在结构上的特点是：
   A. 以时间为顺序　B. 以空间为顺序
   C. 以景物为中心　D. 以作者感受为中心
5. 这篇文章的语言特点是：
   A. 优美　B. 简洁　C. 幽默　D. 伤感

二、把相关的词或词组连接起来

花蕊	地毯	动听
叶子的响声	丝绸	美丽得让万物妒忌
开满花的路	情歌	弯曲嫩白
满路的落花	害羞的姑娘	紫荆色

生　词

(花)瓣　bàn　(名)　每朵花都由一片片的花瓣组成。

(花)蕊　ruǐ　(名)　花朵中心一根根很细的像线一样的部分。

害羞　hàixiū　(形)　害怕、不好意思。

温柔　wēnróu　(形)　gentle，soft

陶醉　táozuì　（动、形）　inebriated
绣　xiù　（动）　用彩色的丝、线在布、丝绸上做成花纹、图画或文字。
丝绸　sīchóu　（名）　丝织品的总称。
寂寞　jìmò　（形）　lonely
妒忌　dùji　（动）　对比自己强的人感到不满、生气。
颤动　chàndòng　（动）　flicker, quiver with
躲避　duǒbì　（动）　离开对自己不好的东西。
地毯　dìtǎn　（名）　铺在地上的毯子。

阅读 3

学会欣赏

有人说，男人和女人最重要的是相爱。而我说，相爱并非最重要，重要的是能互相欣赏。

有朋友问我：会不会有一天，你将自己的思想和情感，完完整整地奉献给一个男人。

我很想反问：为什么不去问一问黄河长江，哪一天她会将自己完完整整地奉献给大海。

永远没有枯竭的思想，也永远没有枯竭的情感，只在于你能不能接纳，会不会欣赏。

许多男人对我说，最讨厌女人啰啰嗦嗦。我想，那是他们无法欣赏那一份蕴藏在倾诉中的情感。有人说受不了女孩的浮浅，也有人说忍受不了女人的冰冷。其实，许多时候，是他自己欣赏不了。

雪山也冰冷，可她有晶莹的美；小溪也浮浅，而流水中自有清秀。欣赏你周围每一片树叶、每一寸泥土、每一丝阳光、每一滴雨水，更何况，每一个有血有肉有灵魂的人——女人。

只要你能，欣赏那一抹背对着高朋满座的冷落和寂寞，我将把那一扇孤独的窗儿敲开，与你共享那一片星与月的交融。

只要你能，欣赏那成功时的平淡和失败中的微笑，是非成就便成了一江流水，载起你的双桨、我的小船、你的奋斗、我的理解。

只要你能，欣赏这世界一半的另一半，你就会拥抱一个完整的世界。

这世界树叶有千万片，这世界女人有千万种，不一定都要相守，不一定都要相爱，只要你能欣赏。

（根据《夕阳下的小女人》改写）

选择正确答案

1. 对于本文，下面哪句话是对的？
   A. 用了许多比喻　　B. 论述严密　　C. 描写很多　　D. 举了一些例子
2. 本文的特点是：
   A. 用反问句　　B. 用形象说明道理
   C. 用雪山形容女人　　D. 用大海形容男人

生　词

枯竭　kūjié　（形）（水源）干枯，断绝；（财力、精力等）用完了，用尽了。
倾诉　qīngsù　（动）完全说出（心里的话）。
浮浅　fúqiǎn　（形）（学问、知识、修养）不深，缺少。

第六十课

单元复习

互　罚

老李有两个爱好，一是听京剧，二是随地吐痰。这不，他又将一口痰吐在了马路上。清完了嗓子，他哼着京剧朝前走。可还没等他走几步，路边过来一个人，拦住了他的去路。老李一看，那人五十来岁，年龄跟自己差不多，正似笑非笑地望着自己。

见老李呆头呆脑的样子，那人得意地挥了挥手，说："环卫员。随地吐痰，罚款两元。"

老李回头看看地上的物证，抬头看看面前的人证，心想这次可麻烦了。他笑着，很客气地说："嘿嘿，这次就算了吧，都是自己人……"

环卫员马上打断了老李的话："谁跟你是自己人，实话告诉你，你这种人我见多了，我是专管随地吐痰的，快点儿交钱，不然我可要加倍了。”说着，就顺手撕下一张罚款单。

老李一看，不交钱肯定是不行了，于是，拿出两元钱交了过去。

环卫员要把罚款单递给老李，可老李看也不看，冷冷地说：“留着您自己用吧。”环卫员生气了，他把罚款单一扔：“爱要不要。”转身就走。老李一把抓住他，从兜里拿出环卫员证和一本罚款单：“随地乱扔废纸，罚款两元。”

环卫员吃了一惊：“你？”

老李一笑：“自己人，我是专管随地乱丢果皮废纸的。”

两位环卫员又办了一次罚款手续。

选择正确答案

1. “环卫员”是什么人？
   A. 管理环境卫生的人　　B. 负责保卫工作的人
   C. 专门罚款的人　　D. 一种警察
2. 第三段第一句中的“物证”是：
   A. 环卫员　　B. 地面　　C. 老李吐的痰　　D. 文中没提到
3. 这是一篇：
   A. 新闻报道　　B. 小说　　C. 散文　　D. 议论文
4. 你认为这篇文章里写的城市卫生情况可能怎样？为什么？
   A. 很好，因为它有负责的环卫员
   B. 不好，因为连它的环卫员也不讲卫生
   C. 很难说，作者没有告诉我们
5. 作者的写作目的是：
   A. 教育　　B. 批评　　C. 开玩笑　　D. 表扬

生　词

痰　tán　（名）　phlegm　肺、支气管里分泌的一种黏液，生病时多，有细菌。
物证　wùzhèng　（名）　material evidence　由物件提供的有关案件事实的证据。
人证　rénzhèng　（名）　testimony of a witness　由证人提供的有关案件事实的证据。
罚款　fákuǎn　impose a fine, fine　因违反法律和规则而交的钱。
手续　shǒuxù　（名）　formalities　程序。

鹦鹉趣话

鹦鹉，羽毛色彩美丽，有白、赤、黄、绿等色，多生活在热带森林中。分布于美洲、澳大利亚和我国南部亚热带地区及西南等地。

鹦鹉的舌头，肉质柔软而又富于弹性，经过反复训练，能模仿人说话。唐代诗人白居易称赞鹦鹉是"鸟语人言无不通"。《开元天宝遗事》中有这样一个故事：长安人杨崇义，被他的妻子及妻子的情人李弇杀死了，埋在枯井里。官员到杨家调查，一无所获。正要离开，杨崇义养的鹦鹉忽然开了口："杀主人的是李弇。"这是杨崇义临死前教鹦鹉说的话。于是，杀人犯被抓住了。这件事被当时的皇帝知道了，就封鹦鹉为"绿衣使者"。从此，鹦鹉又多了一个绿衣使者的美称。

鹦鹉的听觉十分灵敏，经过严格训练，能够报警。第一次世界大战期间，雷达尚未发明。法国和德国作战，德军经常空袭法国。后来，法军就把经过训练的鹦鹉放在埃菲尔铁塔上，用来报告德国飞机空袭的消息。当德国飞机从远处起飞，人们还没有发现时，鹦鹉就已听到微弱的飞机声，并且飞到法军那里报告。

据美国鸟类学家实验证明，鹦鹉除了能模仿讲话、耳朵灵敏外，视觉也很好，不会有色盲。根据这些特点，美国有关部门把经过特殊训练后的鹦鹉，用来为盲人服务。这种鹦鹉，可以根据交通灯的颜色，命令抱着他的盲人停步或向前，同时也可以根据汽车距离盲人的远近，向司机发出警告："小心，别压着盲人！"

据说在英格兰还曾举行过鹦鹉说话比赛。比赛的时候，每只鹦鹉只能讲一句话。有一只不起眼的鹦鹉得了第一名，因为当主人把盖在笼子上的布拿开后，这只鹦鹉前后左右望了望，然后惊奇地叫起来："天啊，这儿为什么有这么多鹦鹉！"

（以上两篇改写自《读者》精华本）

选择正确答案

1. 鹦鹉因为什么能力获得了"绿衣使者"的美称？
   A. 听觉灵敏　　B. 能模仿人说话　　C. 视觉好　　D. A、B、C
2. 为什么法军要用鹦鹉报警？

A. 因为鹦鹉听觉灵敏　　B. 因为鹦鹉能说话
C. 因为没有雷达　　D. A 和 C

3. 为什么美国训练鹦鹉为盲人服务?
A. 因为鹦鹉听觉灵敏　　B. 因为鹦鹉视觉好,能分辨颜色
C. 因为鹦鹉能模仿人说话　　D. A、B、C

4. 以下什么地名在文中没有出现?
A. 美洲　B. 苏格兰　C. 德国　D. 澳大利亚

生　词

鹦鹉　yīngwǔ　(名)　parrot　一种鸟,经训练能模仿人的声音。
热带　rèdài　(名)　the tropics
弹性　tánxìng　(名)　flexible　事物的伸缩性。
空袭　kōngxí　(动)　air-attack　用飞机、导弹等进行袭击。

阅读 3

欧洲电影票房收入近年持续增长

【埃菲社斯特拉斯堡 7 月 23 日电】 据欧洲视听研究所 1997 年年鉴提供的资料显示,最近十年来欧盟国家放映的每 100 部影片中,就有 78 部是美国电影,14 部是欧洲电影,其余 8 部来自世界其他地区。

这份年鉴是由欧洲委员会赞助出版的。在 1995~1996 年间,只有比利时、西班牙和法国放映的欧洲影片多于美国影片。

在比利时上映的 477 部影片中,213 部是欧洲影片,204 部是美国片;西班牙的情况类似,公映了 203 部欧洲电影和 191 部美国电影;法国上映了 205 部欧洲电影和 142 部美国电影。

过去十年中,欧洲电影的最佳时期是 1996 年,票房纪录达到 7 亿元左右,欧盟 15 国的电影院观众人数平均增长了 6.3%。其中增长幅度最大的是英国(7.8%)、德国(6.7%)和西班牙(6.21%)。

年鉴说,在最近几年内,欧洲电影的票房收入一直持续增长,只有 1995 年比上一年减少了 2.3%。欧盟各国的电影票价也保持稳定。

不管怎样,美国人去电影院的人数是欧盟的 3 倍。1995 年欧盟的人口为 3.17 亿,售出 6.58 亿张电影票。同年,美国的人口为 2.6 亿,共售出 12.65 亿张电影票。

据梅迪亚·萨列斯电影放映业协会说，在欧盟的大部分国家中，电影院掌握在少数几家企业手中。

年鉴指出，电影票价也限制着人们去电影院的次数。欧盟国家电影票最贵的是芬兰，平均7.91美元，法国7.29美元，意大利4.99美元，英国4.92美元，西班牙4.15美元。整个欧盟的平均价格是5.75美元，而美国的平均价格为5.08美元。

（摘自《参考消息》）

选择正确答案

1. 这篇报道的主要观点是：
   A. 欧盟电影观众比美国少　　B. 欧洲人更喜欢看美国电影
   C. 欧洲电影观众越来越多　　D. 欧洲人没有美国人那么喜欢看电影
2. 哪个国家的观众最不喜欢美国电影？
   A. 法国　B. 西班牙　C. 英国　D. 比利时
3. 年鉴认为欧洲电影观众较少的原因之一是：
   A. 欧洲电影较少　B. 欧洲的电影院较少　C. 欧洲电影票贵　D. 不知道
4. 1994～1996年，欧洲电影票房从多到少排列的顺序是：
   A. 1994、1995、1996　B. 1996、1994、1995
   C. 1995、1994、1996　D. 1996、1995、1994

生　词

票房　piàofáng　（名）　box-office value　指电影或戏剧等因卖票而获得的经济利益。
持续　chíxù　（形）　continued　连续不断。
年鉴　niánjiàn　（名）　yearbook，almanac　一种参考书，着重收集一年里各方面或某一方面的情况、统计等。
上(放)映　shàngyìng　（动）　show　用强光装置把影片上的形象照射在幕上或墙上。

阅读4

“无事此静坐”

我外祖父家的房屋都收拾得很清爽，干净明亮。他有几间空房，屋外有几棵梧桐树，屋内是木床、漆桌和藤椅。这是他招待客人的地方。但是他的客人很少，难得有人来。这几间房子是朝北的，夏天很凉快。南墙挂着一条横幅，写着五个大字：无事此静坐。

我很欣赏这五个字的意思。以后，知道这是苏东坡的诗，下面一句是：一日当两日。

事实上，外祖父也很少到这里来。倒是我常常拿了一本闲书，悄悄走进去，坐下来一看就是半天。

静是要经过锻炼的，古人叫做"习静"。"习静"可能是道家的一种功夫，习惯于安静确实是生活于吵闹的尘世中的人不容易做到的。要学会闹中取静，在吵闹的环境中保持平静的心。

大概有十多年了，我养成了静坐的习惯。我家有一对旧沙发，有几十年了。我每天早上泡上一杯茶，点一支烟，坐在沙发里，坐一个多小时。一些故人往事、一些声音、一些颜色、一些语言、一些细节，会逐渐在我的眼前清晰起来，生动起来。这样连续坐几个早晨，想得成熟了，就能下笔写一点东西。我的一些小说散文，常得之于清晨静坐中。曾见齐白石一小幅画，画的是淡蓝色的野藤花，有很多小蜜蜂，有颇长的题记，说是他家的野藤，开花时引来无数蜜蜂，他有个孙子曾被蜂螫过，现在这个孙子也能画这种藤花了，最后两句我记得很清楚："静思往事，如在目底。"我觉得这是最好的创作心理状态，就是下笔的时候，最好心里很平静。

（根据汪曾祺《榆树村杂记》改写）

填　空

1. 用现代汉语翻译：
   无事此静坐，一日当两日。
   静思往事，如在目底。
2. 从散文中看，苏东坡是一个（　　），齐白石是一个（　　）。
3. 最后一段第四行"常得之于清晨静坐中"的"之"是代词，指代（refer）什么？

生　词

道家　dàojiā　（名）　Taoism，Taoist　中国古代的一种思想流派，产生于先秦时期。
尘世　chénshì　（名）　this world，this mortal life　（佛教或道教）现实世界。
故人　gùrén　（名）　old friends　老朋友，以前认识的人。
往事　wǎngshì　（名）　the past　从前的事情。
题记　tíjì　（名）　preface　写在正文前面或中国画上的文字。

部分练习参考答案

第三十一课

阅读1　1.221　2.244　3.294　4.274　5.253　6.290

阅读2　(一)1.16世纪　2.1869年　3.1700年　4.1864年　5.1851年

(二)2、4、1、6、5、3、7

阅读3　1. 把毛巾往脑门一扎　2. 把毛巾往下拉　3. 把毛巾往后脑勺轻轻一结　4. 让毛巾平平地躺在头顶　5. 把毛巾拧成股，往脑门一扎

阅读4　1.C　2.A　3.A

完型填空　比　连　小偷学校　技术　学习　里面　所　正在　都　增加

第三十二课

阅读1　1. 美国费城“音乐理发店”　2. 法国巴黎“分部理发店”之一　3. 美国　4. 四十多种　5. 一;与众不同

阅读2　1.D　2.A　3.C　4.B　5.B　6.A　7.D　8.A

阅读3　(一)　1.(×)　2.(√)　3.(√)　4.(√)　5.(×)　6.(×)　7.(√)　8.(√)

(二)1. 最后一个自然段第一句　2. 美丽　面目全非　很丑　怪脸　美丽　3. 因为她用她的善良和知识培养了山村的穷孩子

阅读4　1. 不喜欢　2. 故意　3. 考验　4. 等待　5. 驾临　6. 问题

第三十三课

阅读1　(一)5吨　12种　60小时　120～140次　600美元　2000公里　2500公斤　2700大卡　3000次　5000人　8000把　1.3万个

(二)

国家	统计者	统计的内容	有关数字
		a. 清洗餐具的数量 b. 搬动和整理的餐具	a. 1.3万个盘子 8000把刀叉 3000次锅 b. 5吨/年
波兰	妇女委员会	a. 去商店和市场购买生活用品 b. 四口之家每年购买物品	a. 2000公里/年 b. 2500公斤/年
美国		a. 家务活的种类 b. 做家务的时间 c. 劳务的工钱	a. 12种 b. 60小时/周 c. 600美元
意大利	研究人员	a. 死在厨房的妇女	a. 5000人/年
		a. 消耗热量 b. 家庭主妇的脉博	a. 2700大卡/天 b. 120～140次/分钟

(三)1.　B　2.A　3.A

阅读2　(二)1.(√)　2.(×)　3.(×)　4.(×)　5.(√)　6.(√)

阅读3 1.D 2.C 3.D 4.D 5.B 6.C

完型填空 1.B 2.A 3.B 4.A 5.B 6.D

第三十四课

阅读1 (一)1.83811888 2.21.93元 3.21日,17日、24日、27日 4.13.43元
5.17日,24日,25日,26日,27日,28日
(二)1.长途电话 2.0085225662464 3.1997年1月18日
4.23:18 0:18 5.1997年1月23日 17:33

阅读2 (二)1.汉字 2.彩色 3.科学家 4.手脚 5.羊毛线
(三)D

阅读3 (一)1.海口 2.务农 3.身份证 4.不 5.唐田、唐山,唐立 6.四叔
(二)1.B 2.C 3.A 4.B

第三十五课

阅读1 (二)1.B 2.D 3.D 4.D

阅读2 1.C 2.A 3.A

阅读3 1.A 2.B 3.D 4.C

阅读4 1.A 2.C 3.B

第三十六课

阅读1 1.路面、交通工具及建筑。 2.介绍有名的南京路的历史发展。归纳出来。3.C4.D
5.C

阅读2 1.木头 2.中国最北部 3.非常冷 4.取暖、做饭 5.从事农业生产所用的工具
6.务农、捕鱼

阅读3 1.(×) 2.(√) 3.(√) 4.(√) 5.(×)

阅读4 1.爱情 2.不是

完型填空 1.B 2.D 3.A 4.C 5.C 6.A

第三十七课

阅读1 1.(×) 2.(√) 3.(×) 4.(×) 5.(√) 6.(×) 7.(√)8.(×) 9.(√)
10.(√)

阅读2 1.C 2.C 3.C 4.A

阅读3 (二)1.C 2.D 3.A

阅读4 1.D 2.A 3.B 4.C

第三十八课

阅读1 1.游记撰稿者 2.美食品尝 3.电视体育节目筛选 4.灯塔管理员 5.法拉力试车人

阅读2 1.C 2.B 3.A 4.B 5.D

阅读3 (二)1.D 2.B 3.B

阅读4 (一)技术、观念、艺术

完型填空 1.C 2.D 3.C 4.A 5.A 6.C

第三十九课

阅读 1

		可怜的	幸运的
相同点：	1. 年纪	很年轻	很年轻
	2. 身体	癌症	癌症
	3. 婚姻	有	有
	4. 孩子	有	有

		可怜的	幸运的
不同点：	1. 婚姻	离婚	没离婚
	2. 孩子	走了	还在
	3. 对治疗的态度	积极	消极
	4. 头发	掉得多	浓密
	5. 结果	活下来	死了

阅读 2　1.B　2.D　3.B　4.A　5.C　6.A

阅读 3　1.C　2.B　3.A

完型填空　坐　小偷　口袋　过　但
　　美丽　科学家　变的　不过

第四十课

阅读 1　1.D　2.A　3.B

阅读 2　1.C　2.B

阅读 3　1.A　2.C　3.B　4.B

阅读 4　1.B　2.A

阅读 5　1.C　2.B　3.D　4.A

阅读 6　1.C　2.B　3.D　4.D　5.C

完型填空 1　1.B　2.A　3.C　4.D　5.D

完型填空 2　1.B　2.A　3.C　4.B　5.C

第四十一课

阅读 1　1.B　2.C　3.A　4.C

阅读 2　1. 犹太人　2. 不愿意去杀人或被杀　3. 三十二岁　4. 因为他们随身携带着武器和通讯工具　5. 当逃兵　6. 半个世纪过去了，战争仍然是那么强大，个人的生命仍然是这样弱小。最后一段。

阅读 3　1、2、7

完型填空　1.B　2.D　3.A　4.C　5.B

第四十二课

阅读 1　1.(3)　2.(1)　3.(9)　4.(8)　5.(5)

阅读 2　1.B　2.D

阅读 3　1. 浙江　2. 宋　3. 青瓷　4. 粉青　梅子　5. 青绿　玉　6. 小气泡　7. 海外　8. 技术　经验

完型填空　于是　后来　据　时候　没有

第四十三课

阅读 1　(一)1. 水中　2. 鸟　3. 公园
　　(二)1.C　2.B　3.C　4.A　5.C　6.C

阅读2　1.C　2.C

完型填空　除　距离　出现　但是　进攻　都

第四十四课

阅读1　1.B　2.A　3.D　4.C

阅读2　1.B　2.A　3.C　4.B

阅读3　1.(×)　2.(√)　3.(×)　4.(×)　5.(√)　6.(√)

第四十五课

阅读1　1.C　2.A　3.D　4.C　5.D

阅读2　1.B　2.B　3.D　4.A　5.C

阅读3　1.B　2.B　3.D

第四十六课

阅读1　1.A　2.D　3.A　4.D　5.B

阅读2　(二)1.C　2.C

阅读3　1.C　2.B　3.B

第四十七课

阅读1　1.C　2.B　3.D　4.A

阅读2　1.C　2.B　3.B　4.C　5.A

阅读3　1.C　2.B　3.D

第四十八课

阅读1　1.B　2.C　3.D　4.A

阅读2　1.D　2.A　3.C

阅读3　1.(√)　2.(×)　3.(√)　4.(×)　5.(√)　6.(√)

完型填空　1.A　2.B　3.C　4.D　5.A　6.B　7.D　8.C

第四十九课

阅读1　1. 自净玻璃　2. 不碎玻璃　3. 反热玻璃　4. 天线玻璃　5. 隔音玻璃

阅读2　(一)1.D　2.C

(二)

时　间	做广告的人	广告形式、内容
3000B·C	古巴比伦人	形式:一块土板 内容:为油膏商人、抄写员和鞋匠做广告
	古埃及人	形式:用莎纸草制纸,用来做广告
	古希腊人	形式:唱歌 内容:宣传商船带回来的商品
1100A·D	法国酒店老板	形式:吹号 内容:推销美酒
1525 年	德国人	形式:印刷品 内容:推销药品
1622 年	英国伦敦	形式:报纸

阅读3　1.B　2.D　3.C　4.C

阅读4　1. 傍晚　2. 秋天　3. 夜晚　4. 冬天　5. 顶部，最高的部分　6. 不是

第五十课

阅读1　1. 康辉旅行社总社　66186833；太和旅行社三九国际旅游部前门营业处　2. 4　周五　65928328　2280元　66186833　3. 太和旅行社三九国际旅游部前门营业处　6175元　4. 66180302　10800元　20日

阅读2　1.（√）　2.（×）　3.（×）　4.（×）　5.（√）

阅读3　1.B　2.D　3.B　4.A　5.D

阅读4　1.D　2.A　3.C　4.B　5.A

阅读5　1.C　2.A　3.D

第五十一课

阅读1　1.A　2.B　3.D　4.D　5.C

阅读2　1.A　2.B　3.C　4.A

阅读3　1.B　2.B　3.D　4.A　5.D　6.D　7.D

第五十二课

阅读1　1. 昆明/西双版纳/缅甸/石林/大理　2. 王府国际　62049968　62054353　2360元　3. 王府国际　9　4. 协力国际旅行社　4月6日　5. 65270232、65272131、65277214　6. 新加坡、马来西亚8日游　东城区南河大街111号

阅读2　1.C　2.B　3.D　4.A

阅读3　(一)谦虚、谨慎、冷静、不幸、认真、清醒

(二)5、3、4、1、2、6

(三)“要好好做像一个人”；“人人为我，我为人人”

第五十三课

阅读1　1.C、D　2.C　3.A

阅读2　1.B　2.A　3.A　4.B　5.C

阅读3　1.D　2.D　3.B　4.A

第五十四课

阅读1　1.B　2.C　3.D　4.A　5.D　6.B

阅读2　(一)1.（√）　2.（×）　3.（×）　4.（√）　5.（×）

(二)1.B　2.D

阅读3　1.A　2.B　3.A

第五十五课

阅读1　1.B　2.C　3.D

阅读2　1.《绿毛水怪》是我和小波的媒人　2. 夫妻　3. 诗意

4.

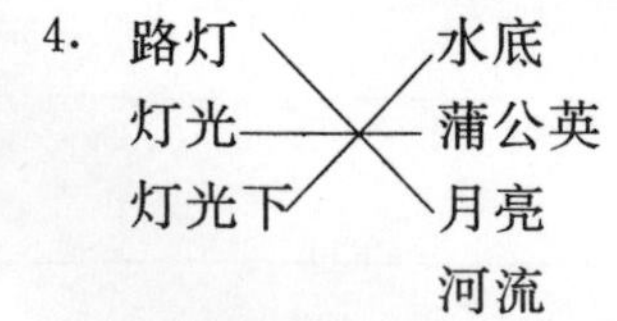

阅读3　1.C　2.A　3.D　4.A　5.A
完型填空　1.C　2.A　3.D　4.D　5.B　6.C　7.D　8.A

第五十六课

阅读1　1.C　2.B　3.A　4.B
阅读2　1.6个:哈纳、卡拉瓦焦、基普、奥尔马希、凯瑟琳及其丈夫　2.沙漠里　3.为和凯瑟琳重新会面　4.远离战争　5.2　6.多
阅读3　1.(√)　2.(√)　3.(×)　4.(√)　5.　(×)
完型填空　1.B　2.C　3.A　4.B　5.C

第五十七课

阅读1　1.三个:原料、厨师和管理　2.事实论证
阅读2　1.D　2.D　3.A　4.D
阅读3　1.(√)　2.(√)　3.(×)　4.(×)　5.(√)　6.(√)

第五十八课

阅读1　1.B　2.C　3.C　4.D
阅读2　1.D　2.D　3.B　4.D　5.C
阅读3　1.C　2.C　3.D

第五十九课

阅读1　1.B　2.B　3.D　4.A　5.第四段、第五段
阅读2　(一)1.C　2.A　3.B　4.C　5.A
(二)

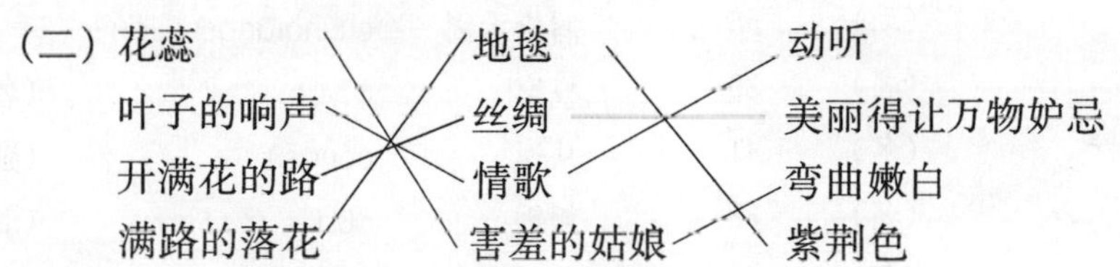

阅读3　1.A　2.B

第六十课

阅读1　1.A　2.C　3.B　4.B　5.B
阅读2　1.D　2.D　3.D　4.B
阅读3　1.C　2.A　3.C　4.B
阅读4　1.没有事情时在这里静坐,一天当两天过。
静静地回想往事,好像就发生在眼前。
2.诗人　画家
3.小说散文

词汇总表

A

艾滋	àizī	（名）	46
按摩	ànmó	（动）	55
按钮	ànniǔ	（名）	56

B

半球	bànqiú	（名）	34
爆炸	bàozhà	（动）	56
抱怨	bàoyuàn	（动）	45
被捕	bèibǔ	（动）	56
鼻孔	bíkǒng	（名）	39
便衣	biànyī	（名）	41
表妹	biǎomèi	（名）	38
病毒	bìngdú	（名）	46
跛	bǒ	（形）	51
补贴	bǔtiē	（动）	47
不祥	bùxiáng	（形）	53

C

残疾	cánjí	（形）	51
残渣	cánzhā	（名）	53
蹭	cèng	（动）	48
查询	cháxún	（动）	36
拆除	chāichú	（动）	36
阐述	chǎnshù	（动）	58
钞票	chāopiào	（名）	44
超自然	chāozìyán		32
嘲笑	cháoxiào	（动）	31
炒股	chǎogǔ		47
尘世	chénshì	（名）	60
程序	chéngxù	（名）	58
吃苦耐劳	chīkǔnàiláo		55
持续	chíxù	（动）	60
赤裸	chìluǒ	（动、形）	54
充实	chōngshí	（形）	55
重申	chóngshēn	（动）	40
出乱子	chūluànzi		38
雏形	chúxíng	（名）	49
醇	chún	（形）	54
唇枪舌剑	chúnqiāngshéjiàn		48
瓷窑	cíyáo	（名）	42
从速	cóngsù	（副）	52
粗粝	cūlì	（形）	53
脆弱	cuìruò	（形）	45
翠玉	cuìyù	（名）	42
磋商	cuōshāng	（动）	58

D

打动	dǎdòng	（动）	55
大气层	dàqìcéng	（名）	58
大人物	dàrénwù	（名）	40
代办	dàibàn	（动）	52
单纯	dānchún	（形）	53
蛋白质	dànbáizhì	（名）	52
胆固醇	dǎngùchún	（名）	52
当局	dāngjú	（名）	45
刁钻	diāozuān	（形）	42

典雅	diǎnyǎ	(形)	33
电源	diànyuán	(名)	56
地形	dìxíng	(名)	35
锭	dìng	(名)	44
肚脐	dùqí	(名)	59
断流	duànliú		44
躲藏	duǒcáng	(动)	41

E

恶化	èhuà	(动)	44
二氧化碳	èryǎnghuàtàn	(名)	51

F

发脾气	fāpíqì		51
发掘	fājué	(动)	46
罚款	fákuǎn		60
法官	fǎguān	(名)	37
法庭	fǎtíng	(名)	37
烦恼	fánnǎo	(形、名)	55
犯人	fànrén	(名)	39
反驳	fǎnbó	(动)	54
反感	fǎngǎn	(动)	54
反射	fǎnshè	(动)	56
繁殖	fánzhí	(动)	44
仿	fǎng	(动)	50
放弃	fàngqì	(动)	47
吩咐	fēnfu	(动)	50
分泌	fēnmì	(动)	45
坟墓	fénmù	(名)	49
风情	fēngqíng	(名)	50
蜂窝煤	fēngwōméi	(名)	46
奉承	fèngcheng	(动)	45
奉行	fèngxíng	(动)	58
浮浅	fúqiǎn	(形)	59
腐蚀	fǔshí	(动)	53
付出	fùchū	(动)	37
负重	fùzhòng		51

G

甘心	gānxīn	(形)	51
感染	gǎnrǎn	(动)	45
高速公路	gāosùgōnglù	(名)	37
高血压	gāoxuèyā	(名)	50
弓	gōng	(名)	40
工兵	gōngbīng	(名)	56
辜负	gūfù	(动)	55
股份	gǔfèn	(名)	41
鼓乐	gǔyuè	(名)	50
固然	gùrán	(副)	50
固执	gùzhí	(形)	53
故人	gùrén	(名)	60
拐杖	guǎizhàng	(名)	51
观察员	guāncháyuán	(名)	58
观念	guānniàn	(名)	38
关税	guānshuì	(名)	41
灌	guàn	(动)	50
光波	guāngbō	(名)	56
轨道	guǐdào	(名)	36
鬼使神差	guǐshǐshénchāi		55
规劝	guīquàn	(动)	57
国会	guóhuì	(名)	46
果断	guǒduàn	(形)	48

H

害羞	hàixiū		54
号角	hàojiǎo	(名)	49
好战	hàozhàn	(形)	48
和弦	héxián	(名)	40
痕迹	hénjì	(名)	56
后脑勺	hòunǎosháo	(名)	31

J

K

L

冷盘	lěngpán	(名)	31
愣	lèng	(动)	42
裂帛	lièbó		53
罹难	línàn	(动)	58
理疗	lǐliáo	(动)	45
理论	lǐlùn	(动)	51
理性	lǐxìng	(名)	53
粒	lì	(名)	37
立正	lìzhèng	(动)	52
隶属	lìshǔ	(动)	52
凉棚	liángpéng	(名)	31
潦草	liáocǎo	(形)	44
烈	liè	(形)	59
灵感	línggǎn	(名)	51
灵敏	língmǐn	(形)	40
流传	liúchuán	(动)	50
流通	liútōng	(动)	41
卤肉	lǔròu	(名)	57
鹿	lù	(名)	37
卵	luǎn	(名)	44
论坛	lùntán	(名)	58
逻辑	luójí	(名)	49
掠夺	lüèduó	(动)	44

M

脉搏	màibó	(名)	33
埋伏	màifu	(动)	42
满不在乎	mǎnbùzàihu		39
漫骂	mànmà	(动)	51
毛茸茸	máorōngrōng	(形)	31
茂密	màomì	(形)	44
冒险	màoxiǎn		38
媒人	méiren	(名)	55
迷信	míxìn	(名、动)	38
蜜月	mìyuè	(名)	46
免费	miǎnfèi		32
勉强	miǎnqiǎng	(形)	42
面目全非	miànmùquánfēi		32
面值	miànzhí	(名)	44
描述	miáoshù	(动)	47
灭亡	mièwáng	(动)	48
民营	mínyíng	(形)	45
明摆着	míngbǎizhe		45
名副其实	míngfùqíshí	(形)	52
明媚	míngmèi	(形)	32
名堂	míngtang	(名)	46
木材/料	mùcái/liào	(名)	33

N

难得	nándé	(形)	50
脑门	nǎomén	(名)	31
内涵	nèihán	(名)	38
能量	néngliàng	(名)	34
年鉴	niánjiàn	(名)	60
娘家	niángjia	(名)	40
凝结	níngjié	(动)	31
拧成(一)股	nǐngchéng(yī)gǔ		31
浓密	nóngmì	(形)	39

P

排队	páiduì		57
判决	pànjué	(动)	40
泡沫	pàomò	(名)	31
配合	pèihé	(动)	33
喷雾剂	pēnwùjì	(名)	35
烹调	pēngtiáo	(动)	31
脾气	píqi	(名)	52
偏执	piānzhí	(名、形)	53
票房	piàofáng	(名)	60
拼命	pīnmìng		59
频繁	pínfán	(形)	44

频率	pínlǜ	(名)	45
品牌	pǐnpái	(名)	54
平衡	pínghéng	(动、形)	57
铺垫	pūdiàn	(动)	53
铺设	pūshè	(动)	36
蒲公英	púgōngyīng	(名)	55
仆人	púrén	(名)	35
普及	pǔjí	(动)	38

Q

凄凉	qīliáng	(形)	47
七窍	qīqiào	(名)	59
气功	qìgōng	(名)	50
奇装异服	qízhuāngyìfú		43
起源	qǐyuán	(名、动)	38
契合	qìhé	(动)	57
轻浮	qīngfú	(形)	43
清苦	qīngkǔ	(形)	46
倾诉	qīngsù	(动)	59
情场	qíngchǎng	(名)	48
情窦初开	qíngdòuchūkāi		55
情形	qíngxíng	(名)	36
请柬	qǐngjiǎn	(名)	50
龋齿	qǔchǐ	(名)	53
曲子	qǔzi	(名)	43
权利	quánlì	(名)	54
全职	quánzhí	(形)	37

R

热潮	rècháo	(名)	46
热带	rèdài	(名)	60
热量	rèliàng	(名)	33
人格	réngé	(名)	47
人性	rénxìng	(名)	41
人证	rénzhèng	(名)	60
忍心	rěnxīn		39
日益	rìyì	(副)	44
容貌	róngmào	(名)	32
肉眼	ròuyǎn	(名)	35
如意	rúyì	(形)	52
软件	ruǎnjiàn	(名)	36

S

扫视	sǎoshì	(动)	37
上(放)映	shàngyìng	(动)	60
设施	shèshī	(名)	51
摄像	shèxiàng	(动)	44
设置	shèzhì	(动)	56
深奥	shēn'ào	(形)	46
身份证	shēnfènzhèng	(名)	34
神情	shénqíng	(名)	44
慎重	shènzhòng	(形)	35
声波	shēngbō	(名)	56
生动	shēngdòng	(形)	51
诗意	shīyì	(名)	55
石榴	shíliu	(名)	50
实力	shílì	(名)	37
食谱	shípǔ	(名)	39
实习	shíxí	(动)	53
使唤	shǐhuan	(动)	49
释放	shìfàng	(动)	32
势如破竹	shìrúpòzhú		59
收购	shōugòu	(动)	34
手续	shǒuxù	(名)	60
手纸	shǒuzhǐ	(名)	44
疏导	shūdǎo	(动)	45
输入	shūrù	(动)	37
树丛	shùcóng	(名)	37
衰退	shuāituì	(动)	55
顺口溜	shùnkǒuliū	(名)	36
算盘	suànpán	(名)	49

T

贪赃枉法	tānzāngwǎngfǎ		49
痰	tán	（名）	60
弹性	tánxìng	（名）	60
探测	tàncè	（动）	58
叹息	tànxī	（动）	43
探险	tànxiǎn		36
坦白	tǎnbái	（形）	52
坦诚	tǎnchéng	（形）	58
逃兵	táobīng	（名）	41
特使	tèshǐ	（名）	58
体操	tǐcāo	（名）	55
题记	tíjì	（名）	60
体面	tǐmian	（形）	50
体贴	tǐtiē	（动）	48
体验	tǐyàn	（动）	46
天分	tiānfèn	（名）	55
天花(板)	tiānhuā(bǎn)	（名）	36
天然	tiānrán	（形）	57
天生	tiānshēng	（形）	47
天性	tiānxìng	（名）	49
调节	tiáojié	（动）	45
投靠	tóukào	（动）	56
投资	tóuzī		41
秃	tū	（形）	44
土话	tǔhuà	（名）	48
土生土长	tǔshēngtǔzhǎng		36
推迟	tuīchí	（动）	46
推荐	tuījiàn	（动）	48
推销	tuīxiāo	（动）	49
吞	tūn	（动）	55
拖鞋	tuōxié	（名）	51

W

外观	wàiguān	（名）	48
剜肉补疮	wǎnròubǔchuāng		51
往事	wǎngshì	（名）	60
威胁	wēixié	（动）	51
为难	wéinán	（动）	39
维系	wéixì	（动）	47
委婉	wěiwǎn	（形）	47
委员会	wěiyuánhuì	（名）	33
畏	wèi	（动）	52
文献	wénxiàn	（名）	32
文雅	wényǎ	（形）	37
无法自拔	wúfǎzìbá		38
无能为力	wúnéngwéilì		57
无所不能	wúsuǒbùnéng		57
物证	wùzhèng	（名）	60

X

袭	xí	（动）	49
先例	xiānlì	（名）	43
现金	xiànjīn	（名）	41
弦	xián	（名）	40
线索	xiànsuǒ	（名）	53
香喷喷	xiāngpēnpēn	（形）	57
小节	xiǎojié	（名）	48
小巧玲珑	xiǎoqiǎolínglóng		44
协议	xiéyì	（名）	41
新陈代谢	xīnchéndàixiè		55
心理	xīnlǐ	（名）	34
信任	xìnrèn	（动）	58
幸免	xìngmiǎn	（动）	51
修学	xiūxué	（动）	46
巡回	xúnhuí	（动）	54
宣传	xuānchuán	（动）	39

悬	xuán	(动)	44
雪糕	xuěgāo	(名)	31
循环	xúnhuán	(动)	39

Y

牙龈	yáyín	(名)	53
牙釉质	yáyòuzhì	(名)	53
咽	yān	(名)	59
延续	yánxù	(动)	46
秧苗	yāngmiáo	(名)	34
扬起	yángqǐ		37
阳性	yángxìng	(名)	46
遥控器	yáokòngqì	(名)	56
一无所获	yīwúsuǒhuò		32
遗传	yíchuán	(动)	41
仪式	yíshì	(名)	50
仪态	yítài	(名)	55
遗作	yízuò	(名)	39
异国	yìguó	(名)	50
意味	yìwèi	(动)	47
义务	yìwù	(名)	57
引擎	yǐnqíng	(名)	36
隐私	yǐnsī	(名)	54
隐喻	yǐnyù	(名)	48
鹦鹉	yīngwǔ	(名)	60
荧光屏	yíngguāngpíng	(名)	37
影影绰绰	yǐngyǐngchuòchuò	(形)	55
应战	yìngzhàn	(动)	59
忧虑	yōulǜ	(形)	44
幽默	yōumò	(形)	51
优雅	yōuyǎ	(形)	53
釉	yòu	(名)	42
幼稚	yòuzhì	(形)	55
有机	yǒujī	(形)	51
余晖	yúhuī	(名)	49
玉	yù	(名)	42
预兆	yùzhào	(名)	53
原子弹	yuánzǐdàn	(名)	56
远见	yuǎnjiàn	(名)	57

Z

责备	zébèi	(动)	57
责任	zérèn	(名)	47
眨	zhǎ	(动)	40
榨	zhà	(动)	50
炸弹	zhàdàn	(名)	56
债权	zhàiquán	(名)	41
债务	zhàiwù	(名)	41
长势	zhǎngshì	(名)	34
着火	zháohuǒ		38
着迷	zháomí		38
珍贵	zhēnguì	(形)	44
真理	zhēnlǐ	(名)	45
阵容	zhènróng	(名)	48
振作	zhènzuò	(动)	55
挣扎	zhēngzhá	(动)	44
支撑	zhīchēng	(动)	36
知觉	zhījué	(名)	49
植被	zhíbèi	(名)	44
皱纹	zhòuwén	(名)	45
珠算	zhūsuàn	(名)	49
注意力	zhùyìlì	(名)	37
柱子	zhùzi	(名)	37
传记	zhuànjì	(名)	54
坠毁	zhuìhuǐ	(动)	58
着陆	zhuólù	(动)	58
资本	zīběn	(名)	41
姿色	zīsè	(名)	47
自卑	zìbēi	(形)	54
自得	zìdé	(形)	43
阻碍	zǔ'ài	(动)	45
坐班	zuòbān		42
尊意	zūnyì		52

后　记

本书的编写开始于1996年。年初，北京大学出版社的郭力女士到中山大学组稿，初步谈到这个选题。8月，在北京怀柔举行的第五届国际汉语教学研讨会上，作者和编者进一步确定了这一选题。此后，编写工作全面展开。

本书由中山大学四位教师共同完成，有些问题由集体讨论决定，如练习的类型和具体形式。具体分工的情况如下：周小兵负责总体设计，全书的统阅和修正，Ⅱ册44～47课、50～55课、58、59课的编写；张世涛协助总体设计，Ⅰ册的统阅和修正，1～15课的编写；刘若云负责Ⅰ册16～30课的编写；徐霄鹰负责Ⅱ册31～43课、48～49课、56、57、60课的编写。

本书的编写，参考了下列文章、著作和教材：

陈贤纯《论初级阅读》，载《中国对外汉语教学学会第三次学术讨论会论文选》，北京语言学院出版社，1990年；

董味甘等《阅读学》，重庆出版社，1989年；

杜学增《快速阅读训练介绍》，载《基础教学论文集》，外语教学与研究出版社，1990年；

李世之《关于阅读教学的几点思考》，载《世界汉语教学》，1997年1期；

鲁宝元《对外汉语教学中的快速阅读训练》，载《中国对外汉语教学学会第三次学术讨论会论文选》，北京语言学院出版社，1990年；

鲁忠义《阅读理解的过程和影响理解的因素》，载《外语教学与研究》，1989年4期；

吕祥《阅读测试题型概述》，载《外语教学与研究》，1996年1期；

吴晓露《阅读技能训练》，载《语言教学与研究》，1991年1期；

吴晓露《汉语阅读技能训练教程》，北京语言学院出版社，1992年；

张树昌、杨俊萱《阅读教学浅谈》，载《语言教学经验研究》，1984年4期；

周小兵《第二语言教学论》，河北教育出版社，1996年；

朱纯《外语教学心理学》，上海外语教育出版社，1994年；

朱曼殊、缪小春《心理语言学》，华东师范大学出版社，1990年。

对上述作者我们表示感谢。

本书编写过程中，得到北京大学出版社的热情支持，尤其是北大出版社的郭力女士，对本书的编写给予了直接的指导，在此表示真挚的感谢。

编　者

1997年8月23日

北京大学出版社对外汉语书目

书名	作者	定价
* 汉语初级教程(1—4 册)	邓懿等	120.00 元
* 汉语中级教程(1—2 册)	杜荣等	58.00 元
* 汉语高级教程(1—2 册)	姚殿芳等	60.00 元
参与——汉语中级教程	赵燕皎等	40.00 元
* 汉语情景会话	陈如等	26.00 元
标准汉语教程(上册 1—4　下册 1—2)	黄政澄等	160.00 元
趣味汉语	刘德联等	12.50 元
* 趣味汉语阅读	刘德联等	9.50 元
* 新汉语教程(1—3)	李晓琪等	85.00 元
* 读报刊　看中国(初、中、高)	潘兆明等	70.00 元
* 汉语中级听力教程(上下)	潘兆明等	66.00 元
* 对外汉语教学中高级课程习题集	李玉敬等	30.00 元
外国留学生汉语写作指导	乔惠芳等	26.00 元
* 现代千字文	张朋朋	25.00 元
* 商用汉语会话	郭　力	10.00 元
* 汉语交际手册	王晓澎等	15.00 元
* 初级汉语口语(上下)	戴桂芙等	90.00 元
* 中级汉语口语(上下)	刘德联等	56.00 元
* 高级汉语口语(上)	刘元满等	30.00 元
交际文化汉语(上下)	李克谦　胡鸿	60.00 元
* 速成汉语	何　慕	25.00 元
汉语词汇与文化	常敬宇	12.00 元
* 走进中国(初、中、高)	杨德峰等	75.00 元
老子道德经(汉英对照)	辜正坤译	15.00 元
* 唐宋诗一百五十首(汉英对照)	许渊冲译	15.00 元
唐宋词一百五十首(汉英对照)	许渊中译	15.00 元
* 中国古代诗歌选读	钱华等	15.00 元
汉语古文读本	王硕	25.00 元
白话论语(注音本)	武惠华	18.50 元
常用汉字图解	谢光辉等	85.00 元
汉字书写入门	张朋朋	28.00 元
汉字津梁——基础汉字形音义说解(附练习册)	施正宇	40.00 元
汉语常用词用法词典	李晓琪等	58.00 元

标 * 号者均配有磁带，磁带每盘 8.00 元。